biblio lycée

Dom Juan ou le Festin de pierre

MOLIÈRE

Notes, questionnaires et dossier
par Catherine Duffau,
agrégée de Lettres modernes.

Sommaire

1 Avant de lire l'œuvre

2 *Dom Juan ou le Festin de pierre* (texte intégral)

ACTE I

ACTE II

ACTE III

ACTE IV

ISBN : 978-2-01-394960-6

www.hachette-education.com

Dossier pédagogique téléchargeable gratuitement sur :
www.enseignants.hachette-education.com

MOLIÈRE
(1622-1673)

◗ Jean-Baptiste Poquelin renonce à son destin bourgeois et devient comédien et auteur. Sous le nom de Molière, il élève la comédie au niveau de la tragédie.

◗ Fin observateur des caractères et des mœurs de son temps, il n'hésite pas à s'attaquer aux ridicules et aux perversions des valeurs.

◗ Auteur infatigable, il laisse une œuvre abondante et diversifiée qui a traversé les siècles sans perdre sa fraîcheur et son intérêt.

Molière, gravure d'Étienne-Frédéric Fragonard.

ŒUVRES-CLÉS

- ***Les Précieuses ridicules*** (1659).
- ***L'École des femmes*** (1662), première comédie en cinq actes et en vers.
- ***Le Tartuffe*** (1664), pièce interdite.
- ***Dom Juan*** (1665), pièce censurée.
- ***Le Misanthrope*** (1666).
- ***Le Bourgeois gentilhomme*** (1670), *« comédie-ballet »* avec le musicien Lully.
- ***Le Malade imaginaire*** (1673).

Molière en 10 dates

1643 **Fondation de L'Illustre-Théâtre** avec Madeleine Béjart.

1644 Jean-Baptiste Poquelin devient Molière. Après sa faillite, la troupe parcourt la France pendant une douzaine d'années.

1658 **Retour de Molière et son Illustre-Théâtre à Paris.** *Le Docteur amoureux* plaît à Louis XIV qui installe la troupe dans la salle du Petit-Bourbon.

1659 Succès de la comédie des *Précieuses ridicules.*

1662 Querelle de *L'École des femmes*, mais immense succès. La troupe s'installe au Palais-Royal.

1664 ***Le Tartuffe*, joué à la Cour, fait scandale.** L'archevêque de Paris obtient l'interdiction de la pièce. Cabale des dévots contre Molière.

1665 Louis XIV décerne à la troupe le titre de **« Troupe du Roi »**. *Dom Juan* est joué cinq semaines.

1668 Malgré une santé vacillante, Molière écrit, la même année, *Amphitryon, George Dandin* et *L'Avare.*

1670 Succès de la comédie-ballet *Le Bourgeois gentilhomme*, suivie, dans les deux ans, par *Les Fourberies de Scapin* et *Les Femmes savantes.*

1673 Mort de Molière à son domicile. Il est enterré religieusement grâce à l'appui du roi, mais clandestinement.

Dom Juan ou le Festin de pierre

Première représentation : 15 février 1665

Date de publication : 1682 (après la mort de Molière)

Genre : comédie en cinq actes et en prose

Registre dominant : comique

Courant littéraire : classicisme teinté de baroque

PRÉSENTATION

Mis en difficulté par l'interdiction du *Tartuffe*, Molière écrit une pièce sur un sujet à la mode. Il compte sur une mise en scène spectaculaire pour séduire le public. La pièce rencontre un très grand succès. Cependant, devant la violence des attaques de ses adversaires, Molière ne reprend pas les représentations et ne publie pas le texte.

THÈMES TRAITÉS

◗ L'inconstance amoureuse

Le héros prend plaisir à séduire toutes les femmes qu'il croise en leur promettant le mariage. Aucun scrupule moral ne l'arrête.

◗ L'hypocrisie religieuse

Molière dénonce la façade de piété derrière laquelle un grand nombre de ses contemporains dissimulent leurs vices.

◗ L'incroyance

L'attitude du séducteur est un défi. Il attend que l'au-delà se manifeste pour le punir de son immoralité. Devant l'absence de sanction, il laisse entendre qu'il doute de l'existence de Dieu.

POUR COMPRENDRE L'ŒUVRE

Une comédie difficile à classer

Molière prend, dans cette pièce, beaucoup de libertés avec les règles classiques. Les changements de lieux, le recours au surnaturel, l'éloge de l'inconstance évoquent l'esthétique baroque, mais la pièce conserve une intrigue claire et structurée.

L'ambiguïté d'un mythe

Le héros est ambigu. Son comportement est révoltant, mais son audace et ses provocations peuvent séduire. Toutefois, sa condamnation à l'enfer qui clôt la pièce montre que Molière ne fait pas l'éloge de l'inconstance amoureuse vantée par Don Juan.

Une philosophie équivoque

L'attitude de Don Juan peut faire penser aux libertins contemporains de Molière, partisans d'un matérialisme philosophique très choquant pour l'époque. Cependant, il esquive les questions de Sganarelle et ne se déclare jamais clairement libre penseur.

LES CRITIQUES

« Il serait difficile d'ajouter quelque chose à tant de crimes dont sa pièce est remplie. C'est là que l'on peut dire que l'impiété et le libertinage se présentent, à tous moments, à l'imagination […] *»*

Barbier d'Aucour, sieur de Rochemont,
Observations sur une comédie de Molière intitulée
Le Festin de Pierre, 1665.

« Quelle pièce étrange que le Dom Juan *tel qu'il a été exécuté l'autre soir, et comme on conçoit bien que les classiques n'aient pu la supporter dans son état primitif!* Dom Juan, *auquel Molière a donné le titre de comédie, est, à proprement parler, un drame et un drame moderne, dans toute la force du terme. »*

Théophile Gautier, *Histoire de l'art dramatique en France*, 1859.

Sganarelle, valet de Don Juan.

MOLIÈRE

Dom[1] Juan

ou le Festin de pierre

COMÉDIE

représentée pour la première fois le 15 février 1665
sur le théâtre de la salle du Palais-Royal
par la Troupe de Monsieur, frère unique du Roi

Note

1. Titre de noblesse espagnol placé devant le prénom. La graphie « dom » est habituelle au XVIIe siècle. Elle est aujourd'hui réservée aux religieux. On a l'habitude de conserver « Dom » pour le titre de la pièce et d'écrire « Don » pour le personnage.

PERSONNAGES

DON JUAN, *fils de Don Louis.*
SGANARELLE, *valet de Don Juan.*
ELVIRE, *femme de Don Juan.*
GUSMAN, *écuyer d'Elvire.*
DON CARLOS, DON ALONSE, } *frères d'Elvire.*
DON LOUIS, *père de Don Juan.*
FRANCISQUE, *pauvre.*
CHARLOTTE, MATHURINE, } *paysannes.*
PIERROT, *paysan.*
LA STATUE DU COMMANDEUR[1].
LA VIOLETTE, RAGOTIN, } *laquais de Don Juan.*
MONSIEUR DIMANCHE, *marchand.*
LA RAMÉE, *spadassin.*
Suite de Don Juan.
Suite de Don Carlos et de Don Alonse, *frères.*
Un Spectre.

La scène est en Sicile.

Note

1. Commandeur : chevalier détenteur d'une commanderie dans un ordre religieux et militaire comme celui de Malte.

Acte I

SCÈNE 1

SGANARELLE, GUSMAN

SGANARELLE, *tenant une tabatière*[1]. – Quoi que puisse dire Aristote[2] et toute la philosophie, il n'est rien d'égal au tabac : c'est la passion des honnêtes gens, et qui vit sans tabac n'est pas digne de vivre. Non seulement il réjouit et purge les cerveaux[3] humains, mais encore il instruit les âmes à la vertu, et l'on apprend avec lui à devenir honnête homme. Ne voyez-vous pas bien, dès qu'on en prend, de quelle manière obligeante on en use avec tout le monde, et comme on est ravi d'en donner à droit et à gauche, partout où l'on se trouve ? On n'attend pas même qu'on en demande, et l'on court au-devant du souhait des gens : tant il est vrai que le tabac inspire des sentiments d'honneur et de vertu à tous ceux qui en

Notes

1. Les didascalies (indications scéniques) étant le fait des éditeurs successifs et non de Molière lui-même, cela explique les variantes entre les différentes éditions de l'œuvre. Nous les avons conservées pour une meilleure compréhension de certains jeux ou intonations.

2. Aristote (384-322 av. J.-C.), un des plus grands philosophes grecs qui n'a donc pu parler du tabac importé en Europe à la fin du XVIe siècle.

3. purge les cerveaux : dégage le cerveau en faisant éternuer. Il s'agit de tabac à priser, râpé très fin et que l'on introduisait dans les narines.

prennent. Mais c'est assez de cette matière. Reprenons un peu notre discours. Si bien donc, cher Gusman, que Done[1]
15 Elvire, ta maîtresse, surprise de notre départ, s'est mise en campagne après nous[2], et son cœur, que mon maître a su toucher trop fortement, n'a pu vivre, dis-tu, sans le venir chercher ici. Veux-tu qu'entre nous je te dise ma pensée ? J'ai peur qu'elle ne soit mal payée de son amour, que son voyage
20 en cette ville produise peu de fruit, et que vous eussiez autant gagné à ne bouger de là.

GUSMAN – Et la raison encore ? Dis-moi, je te prie, Sganarelle, qui[3] peut t'inspirer une peur d'un si mauvais augure[4] ? Ton maître t'a-t-il ouvert son cœur là-dessus, et t'a-t-il dit qu'il
25 eût pour nous[5] quelque froideur qui l'ait obligé à partir ?

SGANARELLE – Non pas, mais, à vue de pays[6], je connais à peu près le train des choses[7], et, sans qu'il m'ait encore rien dit, je gagerais presque que l'affaire va là[8]. Je pourrais peut-être me tromper ; mais enfin, sur de tels sujets, l'expérience m'a pu
30 donner quelques lumières.

GUSMAN – Quoi ? ce départ si peu prévu serait une infidélité de Don Juan ? Il pourrait faire cette injure aux chastes feux[9] de Done Elvire ?

SGANARELLE – Non, c'est qu'il est jeune encore, et qu'il n'a
35 pas le courage…

GUSMAN – Un homme de sa qualité[10] ferait une action si lâche ?

Notes

1. **Done** : francisation du titre espagnol *Doña*, équivalent de « dame ».
2. **s'est mise en campagne après nous** : est partie à notre poursuite.
3. **qui** : ce qui.
4. **augure** : présage.
5. **pour nous** : le valet Gusman se sent personnellement concerné par les relations entre Don Juan et Done Elvire, ce qui produit un effet comique.
6. **à vue de pays** : à première vue.
7. **je connais à peu près le train des choses** : je sais à peu près ce qu'il en est.
8. **je gagerais presque que l'affaire va là** : je parierais qu'il en est ainsi.
9. **chastes feux** : pur amour ; ce trait de langage précieux est comique dans la bouche du valet.
10. **de sa qualité** : de son rang (d'aristocrate).

SGANARELLE – Eh oui, sa qualité ! La raison en est belle, et c'est par là qu'il s'empêcherait[1] des choses !

GUSMAN – Mais les saints nœuds[2] du mariage le tiennent en-
40 gagé.

SGANARELLE – Eh ! mon pauvre Gusman, mon ami, tu ne sais pas encore, crois-moi, quel homme est Don Juan.

GUSMAN – Je ne sais pas, de vrai, quel homme il peut être, s'il faut qu'il nous ait fait cette perfidie[3] ; et je ne comprends point
45 comme, après tant d'amour et tant d'impatience témoignée, tant d'hommages pressants, de vœux, de soupirs et de larmes, tant de lettres passionnées, de protestations[4] ardentes et de serments réitérés[5], tant de transports[6] enfin et tant d'emportements qu'il a fait paraître, jusques à[7] forcer, dans sa passion,
50 l'obstacle sacré d'un convent[8], pour mettre Done Elvire en sa puissance[9], je ne comprends pas, dis-je, comme, après tout cela, il aurait le cœur de pouvoir manquer à sa parole.

SGANARELLE – Je n'ai pas grande peine à le comprendre, moi ; et si tu connaissais le pèlerin[10], tu trouverais la chose assez fa-
55 cile pour lui. Je ne dis pas qu'il ait changé de sentiments pour Done Elvire, je n'en ai point de certitude encore : tu sais que, par son ordre, je partis avant lui, et depuis son arrivée il ne m'a point entretenu[11] ; mais, par précaution, je t'apprends, *inter nos*[12], que tu vois en Don Juan, mon maître, le plus grand
60 scélérat que la terre ait jamais porté, un enragé, un chien,

Notes

1. **s'empêcherait** : s'interdirait.
2. **nœuds** : liens.
3. **perfidie** : trahison.
4. **protestations** : déclarations.
5. **réitérés** : répétés.
6. **transports** : manifestations de passion.
7. **jusques à** : forme vieillie de « jusqu'à ».
8. **convent** : couvent.
9. **pour mettre Done Elvire en sa puissance** : pour se rendre maître de Done Elvire.
10. **le pèlerin** : l'individu.
11. **entretenu** : parlé.
12. ***inter nos*** : expression latine signifiant « entre nous ». Sganarelle joue le personnage instruit.

un Diable, un Turc, un Hérétique[1], qui ne croit ni Ciel, ni saint, ni enfer, ni loup-garou, qui passe cette vie en véritable bête brute, en pourceau d'Épicure[2], en vrai Sardanapale[3], qui ferme l'oreille à toutes les remontrances qu'on lui peut faire, 65 et traite de billevesées[4] tout ce que nous croyons. Tu me dis qu'il a épousé ta maîtresse : crois qu'il aurait plus fait pour sa passion, et qu'avec elle il aurait encore épousé toi, son chien et son chat. Un mariage ne lui coûte rien à contracter; il ne se sert point d'autres pièges pour attraper les belles, et 70 c'est un épouseur à toutes mains[5] ! Dame, demoiselle, bourgeoise, paysanne, il ne trouve rien de trop chaud ni de trop froid pour lui; et si je te disais le nom de toutes celles qu'il a épousées en divers lieux, ce serait un chapitre à durer jusques au soir. Tu demeures surpris et changes de couleur à ce dis- 75 cours; ce n'est là qu'une ébauche du personnage, et, pour en achever le portrait, il faudrait bien d'autres coups de pinceau. Suffit qu'il faut que le courroux[6] du Ciel l'accable quelque jour; qu'il me vaudrait bien mieux d'être au diable que d'être à lui[7], et qu'il me fait voir tant d'horreurs, que je souhaiterais 80 qu'il fût déjà je ne sais où. Mais un grand seigneur méchant homme est une terrible chose; il faut que je lui sois fidèle, en dépit que j'en aie[8] : la crainte en moi fait l'office du zèle[9],

Notes

1. **Hérétique** : personne qui interprète de façon déviante certains préceptes religieux.
2. Épicure (341-270 av. J.-C.), moraliste grec qui prescrivait de vivre selon les lois de la nature. Sganarelle croit à tort que ce philosophe nous pousse à suivre nos instincts les plus bas et à vivre comme le ferait un animal, un porc (pourceau).
3. **Sardanapale** : roi légendaire d'Assyrie qui mena une vie de luxe et de débauche.
4. **billevesées** : propos stupides.
5. **épouseur à toutes mains** : homme prêt à épouser n'importe quelle femme.
6. **le courroux** : la colère.
7. **il me vaudrait bien mieux d'être au diable que d'être à lui** : il vaudrait bien mieux pour moi servir le diable que Don Juan.
8. **en dépit que j'en aie** : malgré tout.
9. **fait l'office du zèle** : remplace le désir de bien servir.

bride mes sentiments[1], et me réduit d'applaudir[2] bien souvent à ce que mon âme déteste. Le voilà qui vient se pro-
85 mener dans ce palais : séparons-nous. Écoute au moins : je t'ai fait cette confidence avec franchise, et cela m'est sorti un peu bien vite de la bouche ; mais, s'il fallait qu'il en vînt quelque chose à ses oreilles, je dirais hautement que tu aurais menti.

Notes

1. **bride mes sentiments** : m'empêche de dire ce que je pense.

2. **me réduit d'applaudir** : m'oblige à applaudir.

Une scène d'exposition

Lecture analytique de l'extrait (p. 11, l. 1, à p. 15, l. 89)

Deux personnages surpris en pleine conversation

Les fonctions des scènes d'exposition

Le dialogue des scènes d'exposition renseigne les spectateurs sur la nature des personnages et sur leurs relations. Il précise le contexte défini par le décor et expose la situation dans laquelle se trouvent les protagonistes. Il introduit également l'élément nouveau qui va enclencher l'action et pique ainsi la curiosité du public.

1. Qui sont les deux personnages de cette première scène ? Quel genre de pièce cela annonce-t-il ?
2. Sur quoi porte leur conversation débutée avant le lever de rideau ? Que nous apprennent les propos et le ton adopté par Sganarelle sur le type de valet qu'il va incarner ?
3. Comment appelle-t-on ce type de commencement ? Quel est l'intérêt de ce procédé ?

Portrait d'un maître et d'un valet

4. Quels indices nous sont donnés sur la situation dans laquelle se trouve Don Juan ?
5. Relevez toutes les expressions utilisées par Sganarelle à propos de son maître. Quel portrait en fait-il ? Molière rend-il aussi ce portrait comique, selon vous ? Justifiez votre réponse.
6. Comment Sganarelle se justifie-t-il de rester au service d'un tel homme ?
7. Quel nouvel aspect du caractère du valet l'arrivée de Don Juan révèle-t-elle (l. 84 à 89) ?

SCÈNE 2

DON JUAN, SGANARELLE

1 DON JUAN – Quel homme te parlait là ? Il a bien de l'air, ce me semble, du bon Gusman de Done Elvire.

SGANARELLE – C'est quelque chose aussi à peu près de cela.

DON JUAN – Quoi ? c'est lui ?

5 SGANARELLE – Lui-même.

DON JUAN – Et depuis quand est-il en cette ville ?

SGANARELLE – D'hier au soir.

DON JUAN – Et quel sujet l'amène ?

SGANARELLE – Je crois que vous jugez[1] assez ce qui le peut
10 inquiéter.

DON JUAN – Notre départ sans doute ?

SGANARELLE – Le bonhomme en est tout mortifié[2], et m'en demandait le sujet.

DON JUAN – Et quelle réponse as-tu faite ?

15 SGANARELLE – Que vous ne m'en aviez rien dit.

DON JUAN – Mais encore, quelle est ta pensée là-dessus ? Que t'imagines-tu de cette affaire ?

SGANARELLE – Moi, je crois, sans vous faire tort, que vous avez quelque nouvel amour en tête.

20 DON JUAN – Tu le crois ?

SGANARELLE – Oui.

DON JUAN – Ma foi ! tu ne te trompes pas, et je dois t'avouer qu'un autre objet[3] a chassé Elvire de ma pensée.

Notes

1. **jugez** : devinez.
2. **mortifié** : désolé.
3. **un autre objet** : une autre femme (terme précieux).

SGANARELLE – Eh ! mon Dieu ! je sais mon Don Juan sur le
25 bout du doigt, et connais votre cœur pour[1] le plus grand coureur du monde : il se plaît à se promener de liens en liens, et n'aime guère à demeurer en place.

DON JUAN – Et ne trouves-tu pas, dis-moi, que j'ai raison d'en user de la sorte[2] ?

30 SGANARELLE – Eh ! Monsieur.

DON JUAN – Quoi ? Parle.

SGANARELLE – Assurément que vous avez raison, si vous le voulez ; on ne peut pas aller là contre. Mais, si vous ne le vouliez pas, ce serait peut-être une autre affaire.

35 DON JUAN – Eh bien ! je te donne la liberté de parler et de me dire tes sentiments.

SGANARELLE – En ce cas, monsieur, je vous dirai franchement que je n'approuve point votre méthode, et que je trouve fort vilain d'aimer de tous côtés comme vous faites.

40 DON JUAN – Quoi ? tu veux qu'on se lie à demeurer[3] au premier objet qui nous prend, qu'on renonce au monde pour lui, et qu'on n'ait plus d'yeux pour personne ? La belle chose de vouloir se piquer[4] d'un faux honneur d'être fidèle, de s'ensevelir pour toujours dans une passion, et d'être mort dès sa jeunesse
45 à toutes les autres beautés qui nous peuvent frapper les yeux ! Non, non : la constance n'est bonne que pour des ridicules[5] ; toutes les belles ont droit de nous charmer, et l'avantage d'être rencontrée la première ne doit point dérober aux autres les justes prétentions qu'elles ont toutes sur nos cœurs. Pour moi,
50 la beauté me ravit partout où je la trouve, et je cède facilement à cette douce violence dont elle nous entraîne. J'ai beau être

Notes

1. **et connais votre cœur pour** : et sais que votre cœur est.
2. **d'en user de la sorte** : de faire ainsi.
3. **qu'on se lie à demeurer** : qu'on s'oblige à rester attaché.
4. **se piquer** : s'enorgueillir.
5. **des ridicules** : des gens ridicules.

engagé, l'amour que j'ai pour une belle n'engage point mon âme à faire injustice aux autres; je conserve des yeux pour voir le mérite de toutes, et rends à chacune les hommages et
55 les tributs[1] où la nature nous oblige. Quoi qu'il en soit, je ne puis refuser mon cœur à tout ce que je vois d'aimable[2], et dès qu'un beau visage me le demande, si j'en avais dix mille, je les donnerais tous. Les inclinations[3] naissantes, après tout, ont des charmes inexplicables, et tout le plaisir de l'amour est dans le
60 changement. On goûte une douceur extrême à réduire, par cent hommages, le cœur[4] d'une jeune beauté, à voir de jour en jour les petits progrès qu'on y fait, à combattre par des transports, par des larmes et des soupirs, l'innocente pudeur d'une âme qui a peine à rendre les armes, à forcer pied à pied toutes
65 les petites résistances qu'elle nous oppose, à vaincre les scrupules dont elle se fait un honneur, et la mener doucement où nous avons envie de la faire venir. Mais, lorsqu'on en est maître une fois, il n'y a plus rien à dire ni rien à souhaiter; tout le beau de la passion est fini, et nous nous endormons dans
70 la tranquillité d'un tel amour, si quelque objet nouveau ne vient réveiller nos désirs et présenter à notre cœur les charmes attrayants d'une conquête à faire. Enfin, il n'est rien de si doux que de triompher de la résistance d'une belle personne, et j'ai sur ce sujet l'ambition des conquérants, qui volent perpétuelle-
75 ment de victoire en victoire, et ne peuvent se résoudre à borner leurs souhaits. Il n'est rien qui puisse arrêter l'impétuosité de mes désirs : je me sens un cœur à aimer toute la terre; et comme Alexandre[5], je souhaiterais qu'il y eût d'autres mondes, pour y pouvoir étendre mes conquêtes amoureuses.

Notes

1. **tributs** : marques d'amour.
2. **tout ce que je vois d'aimable** : toutes les femmes qui me semblent aimables.
3. **inclinations** : penchants amoureux.
4. **réduire [...] le cœur** : venir à bout de la résistance.
5. Alexandre le Grand (356-323 av. J.-C.) étendit son empire du nord de la Grèce jusqu'à l'Indus. Le poète satirique romain Juvénal (Ier s. ap. J.-C.) lui prêta le regret qu'il n'y eût qu'un seul monde à conquérir.

80 SGANARELLE – Vertu de ma vie, comme vous débitez![1] Il semble que vous ayez appris cela par cœur, et vous parlez tout comme un livre.

DON JUAN – Qu'as-tu à dire là-dessus ?

SGANARELLE – Ma foi ! j'ai à dire..., je ne sais ; car vous tournez
85 les choses d'une manière, qu'il semble que vous avez raison ; et cependant il est vrai que vous ne l'avez pas. J'avais les plus belles pensées du monde, et vos discours m'ont brouillé tout cela. Laissez faire : une autre fois je mettrai mes raisonnements par écrit, pour disputer[2] avec vous.

90 DON JUAN – Tu feras bien.

SGANARELLE – Mais, Monsieur, cela serait-il de la permission que vous m'avez donnée, si je vous disais que je suis tant soit peu scandalisé de la vie que vous menez ?

DON JUAN – Comment ? quelle vie est-ce que je mène ?

95 SGANARELLE – Fort bonne. Mais, par exemple, de vous voir tous les mois vous marier comme vous faites...

DON JUAN – Y a-t-il rien de plus agréable ?

SGANARELLE – Il est vrai, je conçois que cela est fort agréable et fort divertissant, et je m'en accommoderais assez, moi, s'il
100 n'y avait point de mal ; mais, Monsieur, se jouer ainsi d'un mystère sacré[3], et...

DON JUAN – Va, va, c'est une affaire entre le Ciel et moi, et nous la démêlerons bien ensemble, sans que tu t'en mettes en peine.

Notes

1. **comme vous débitez !** : quel bagou !
2. **disputer** : discuter.
3. **mystère sacré** : le mariage est contracté devant Dieu qui lie pour la vie les époux.

105 SGANARELLE – Ma foi ! Monsieur, j'ai toujours ouï dire que c'est une méchante raillerie que de se railler du Ciel[1], et que les libertins[2] ne font jamais une bonne fin.

DON JUAN – Holà ! maître sot, vous savez que je vous ai dit que je n'aime pas les faiseurs de remontrances.

110 SGANARELLE – Je ne parle pas aussi à vous, Dieu m'en garde ! Vous savez ce que vous faites, vous, et, si vous ne croyez rien, vous avez vos raisons ; mais il y a de certains petits impertinents dans le monde, qui sont libertins sans savoir pourquoi, qui font les esprits forts, parce qu'ils croient que cela leur sied 115 bien[3] ; et si j'avais un maître comme cela, je lui dirais fort nettement, le regardant en face : « Osez-vous bien ainsi vous jouer au Ciel[4], et ne tremblez-vous point de vous moquer comme vous faites des choses les plus saintes ? C'est bien à vous, petit ver de terre, petit mirmidon[5] que vous êtes (je parle au maître 120 que j'ai dit), c'est bien à vous à vouloir vous mêler de tourner en raillerie ce que tous les hommes révèrent[6]. Pensez-vous que pour être de qualité[7], pour avoir une perruque blonde et bien frisée, des plumes à votre chapeau, un habit bien doré, et des rubans couleur de feu (ce n'est pas à vous que je parle, 125 c'est à l'autre), pensez-vous, dis-je, que vous en soyez plus habile homme, que tout vous soit permis, et qu'on n'ose vous dire vos vérités ? Apprenez de moi, qui suis votre valet, que le Ciel punit tôt ou tard les impies[8], qu'une méchante vie amène une méchante mort, et que… »

Notes

1. c'est une méchante raillerie que de se railler du Ciel : il est mauvais de se moquer de Dieu.
2. libertins : ceux qui ne se plient pas aux règles religieuses.
3. cela leur sied bien : cela leur va bien.
4. vous jouer au Ciel : vous moquer du Ciel.
5. mirmidon : peuple chétif que Zeus créa en métamorphosant des fourmis.
6. révèrent : vénèrent.
7. pour être de qualité : parce qu'on appartient à une classe sociale élevée.
8. impies : ceux qui ne croient pas en Dieu.

130 DON JUAN – Paix !

SGANARELLE – De quoi est-il question ?

DON JUAN – Il est question de te dire qu'une beauté me tient au cœur, et qu'entraîné par ses appas[1], je l'ai suivie jusques en cette ville.

135 SGANARELLE – Et n'y craignez-vous rien, monsieur, de[2] la mort de ce Commandeur[3] que vous tuâtes il y a six mois ?

DON JUAN – Et pourquoi craindre ? Ne l'ai-je pas bien tué ?

SGANARELLE – Fort bien, le mieux du monde et il aurait tort de se plaindre.

140 DON JUAN – J'ai eu ma grâce[4] de cette affaire.

SGANARELLE – Oui, mais cette grâce n'éteint pas peut-être le ressentiment[5] des parents et des amis, et…

DON JUAN – Ah ! n'allons point songer au mal qui nous peut arriver, et songeons seulement à ce qui nous peut donner du 145 plaisir. La personne dont je te parle est une jeune fiancée, la plus agréable du monde, qui a été conduite ici par celui même qu'elle y vient épouser ; et le hasard me fit voir ce couple d'amants[6] trois ou quatre jours avant leur voyage. Jamais je n'ai vu deux personnes être si contents l'un de l'autre et faire 150 éclater plus d'amour. La tendresse visible de leurs mutuelles ardeurs[7] me donna de l'émotion ; j'en fus frappé au cœur, et mon amour commença par la jalousie. Oui, je ne pus souffrir[8] d'abord de les voir si bien ensemble ; le dépit alarma[9] mes désirs, et je me figurai un plaisir extrême à pouvoir troubler 155 leur intelligence[10], et rompre cet attachement, dont la délica-

Notes

1. **ses appas** : son charme.
2. **de** : à cause de.
3. **Commandeur** : chevalier détenteur d'une commanderie dans un ordre religieux et militaire comme celui de Malte.
4. **J'ai eu ma grâce** : j'ai été acquitté.
5. **ressentiment** : désir de vengeance.
6. **amants** : amoureux.
7. **leurs mutuelles ardeurs** : leur passion réciproque.
8. **souffrir** : supporter.
9. **alarma** : éveilla.
10. **intelligence** : entente.

tesse de mon cœur se tenait offensée[1] ; mais jusques ici tous mes efforts ont été inutiles, et j'ai recours au dernier remède. Cet époux prétendu[2] doit aujourd'hui régaler sa maîtresse d'une promenade[3] sur mer. Sans t'en avoir rien dit, toutes
160 choses sont préparées pour satisfaire mon amour, et j'ai une petite barque et des gens avec quoi fort facilement je prétends enlever la belle.

SGANARELLE – Ha ! Monsieur…

DON JUAN – Hen ?

165 SGANARELLE – C'est fort bien fait à vous[4], et vous le prenez comme il faut. Il n'est rien tel en ce monde que de se contenter[5].

DON JUAN – Prépare-toi donc à venir avec moi, et prends soin toi-même d'apporter toutes mes armes, afin que… *(Il aperçoit*
170 *Done Elvire.)* Ah ! rencontre fâcheuse ! Traître, tu ne m'avais pas dit qu'elle était ici elle-même.

SGANARELLE – Monsieur, vous ne me l'avez pas demandé.

DON JUAN – Est-elle folle, de n'avoir pas changé d'habits, et de venir en ce lieu-ci avec son équipage de campagne[6] ?

Notes

1. **dont la délicatesse de mon cœur se tenait offensée :** qui blessait mon cœur délicat.
2. **Cet époux prétendu :** ce fiancé.
3. **régaler [...] d'une promenade :** offrir le plaisir d'une promenade.
4. **c'est fort bien fait à vous :** vous faites bien.
5. **se contenter :** se faire plaisir.
6. **son équipage de campagne :** sa tenue de voyage.

La rencontre avec Don Juan

Lecture analytique de l'extrait (p. 18, l. 35, à p. 23, l. 174)

La caractérisation des personnages

1. À quoi Don Juan compare-t-il la fidélité, puis l'amour (l. 40 à 79) ?

2. Relevez le champ lexical de la guerre dans la tirade de Don Juan (l. 40 à 79). L'emploi de ces termes est-il surprenant chez un personnage appartenant à la noblesse ? Pourquoi ?

3. Comment Sganarelle réagit-il à la tirade de Don Juan sur l'inconstance ? Quel défaut ou « mauvais talent » de son maître sa réaction met-elle en évidence ?

4. Cette scène modifie-t-elle l'opinion que le spectateur s'est forgée sur Don Juan dans la scène précédente ?

5. Cette scène confirme-t-elle les informations données par la scène précédente sur la personnalité de Sganarelle ?

Les relations entre les personnages

6. Quel est le but des propos que Sganarelle adresse à Don Juan (l. 110 à 129) ? Comment s'y prend-il pour atteindre cet objectif ?

7. Que nous apprend ce passage sur les rapports entre Don Juan et Sganarelle ?

SCÈNE 3

DONE ELVIRE, DON JUAN, SGANARELLE

1 DONE ELVIRE – Me ferez-vous la grâce, Don Juan, de vouloir bien me reconnaître ? et puis-je au moins espérer que vous daigniez tourner le visage de ce côté ?

DON JUAN – Madame, je vous avoue que je suis surpris, et que 5 je ne vous attendais pas ici.

DONE ELVIRE – Oui, je vois bien que vous ne m'y attendiez pas ; et vous êtes surpris, à la vérité, mais tout autrement que je ne l'espérais ; et la manière dont vous le paraissez me persuade pleinement ce que je refusais de croire. J'admire ma 10 simplicité[1] et la faiblesse de mon cœur à douter[2] d'une trahison que tant d'apparences me confirmaient. J'ai été assez bonne, je le confesse, ou plutôt assez sotte, pour me vouloir tromper moi-même et travailler à démentir mes yeux et mon jugement. J'ai cherché des raisons pour excuser à ma 15 tendresse[3] le relâchement d'amitié qu'elle voyait en vous ; et je me suis forgé exprès cent sujets légitimes d'un départ si précipité, pour vous justifier du crime dont ma raison vous accusait. Mes justes soupçons chaque jour avaient beau me parler, j'en rejetais la voix qui vous rendait criminel à mes 20 yeux, et j'écoutais avec plaisir mille chimères[4] ridicules qui vous peignaient innocent à mon cœur. Mais enfin cet abord[5] ne me permet plus de douter, et le coup d'œil qui m'a reçue m'apprend bien plus de choses que je ne voudrais en savoir. Je serai bien aise pourtant d'ouïr de votre bouche les raisons

1. J'admire ma simplicité : je m'étonne de ma naïveté.

2. à douter : qui doute.

3. pour excuser à ma tendresse : pour que ma tendresse excuse.

4. chimères : inventions.

5. abord : accueil.

25 de votre départ. Parlez, Don Juan, je vous prie, et voyons de quel air[1] vous saurez vous justifier.

DON JUAN – Madame, voilà Sganarelle qui sait pourquoi je suis parti.

SGANARELLE, *bas à Don Juan.* – Moi, Monsieur? Je n'en sais
30 rien, s'il vous plaît.

DONE ELVIRE – Hé bien! Sganarelle, parlez. Il n'importe[2] de quelle bouche j'entende ces raisons.

DON JUAN, *faisant signe d'approcher à Sganarelle.* – Allons, parle donc à Madame.

35 SGANARELLE, *bas à Don Juan.* – Que voulez-vous que je dise?

DONE ELVIRE – Approchez, puisqu'on le veut ainsi, et me dites un peu les causes d'un départ si prompt.

DON JUAN – Tu ne répondras pas?

SGANARELLE, *bas à Don Juan.* – Je n'ai rien à répondre. Vous
40 vous moquez de votre serviteur.

DON JUAN – Veux-tu répondre, te dis-je?

SGANARELLE – Madame…

DONE ELVIRE – Quoi?

SGANARELLE, *se retournant vers son maître.* – Monsieur…

45 DON JUAN – Si…

SGANARELLE – Madame, les conquérants, Alexandre et les autres mondes sont cause de notre départ. Voilà, monsieur, tout ce que je puis dire.

DONE ELVIRE – Vous plaît-il, Don Juan, nous éclaircir ces
50 beaux mystères?

DON JUAN – Madame, à vous dire la vérité…

DONE ELVIRE – Ah! que vous savez mal vous défendre pour un homme de cour, et qui doit être accoutumé à ces sortes

Notes

1. **quel air** : quelle façon.

2. **Il n'importe** : peu importe.

de choses ! J'ai pitié de vous voir la confusion que vous avez.
55 Que ne vous armez-vous le front d'une noble effronterie[1] ? Que ne me jurez-vous que vous êtes toujours dans les mêmes sentiments pour moi, que vous m'aimez toujours avec une ardeur sans égale, et que rien n'est capable de vous détacher de moi que la mort ? Que ne me dites-vous que des affaires de
60 la dernière conséquence[2] vous ont obligé à partir sans m'en donner avis[3] ; qu'il faut que, malgré vous, vous demeuriez ici quelque temps, et que je n'ai qu'à m'en retourner d'où je viens, assurée que vous suivrez mes pas le plus tôt qu'il vous sera possible ; qu'il est certain que vous brûlez de me
65 rejoindre, et qu'éloigné de moi, vous souffrez ce que souffre un corps qui est séparé de son âme ? Voilà comme il faut vous défendre, et non pas être interdit[4] comme vous êtes.

DON JUAN – Je vous avoue, Madame, que je n'ai point le talent de dissimuler, et que je porte un cœur sincère. Je ne vous
70 dirai point que je suis toujours dans les mêmes sentiments pour vous et que je brûle de vous rejoindre, puisque enfin il est assuré que je ne suis parti que pour vous fuir ; non point par les raisons que vous pouvez vous figurer, mais par un pur motif de conscience, et pour ne croire pas[5] qu'avec vous
75 davantage je puisse vivre sans péché. Il m'est venu des scrupules, Madame, et j'ai ouvert les yeux de l'âme sur ce que je faisais. J'ai fait réflexion que, pour vous épouser, je vous ai dérobée à la clôture d'un convent[6], que vous avez rompu

Notes

1. **Que ne vous armez-vous le front d'une noble effronterie ?** : pourquoi ne prenez-vous pas un air assuré ?
2. **de la dernière conséquence** : de la plus haute importance.
3. **sans m'en donner avis** : sans me prévenir.
4. **interdit** : surpris.
5. **pour ne croire pas** : parce que je ne crois pas.
6. **je vous ai dérobée à la clôture d'un convent** : je vous ai fait sortir du couvent où vous étiez enfermée.

des vœux[1] qui vous engageaient autre part, et que le Ciel est
80 fort jaloux de ces sortes de choses. Le repentir m'a pris, et j'ai craint le courroux céleste. J'ai cru que notre mariage n'était qu'un adultère déguisé, qu'il nous attirerait quelque disgrâce[2] d'en haut, et qu'enfin je devais tâcher de vous oublier et vous donner moyen de retourner à vos premières chaînes. Vou-
85 driez-vous, Madame, vous opposer à une si sainte pensée, et que j'allasse, en vous retenant, me mettre le Ciel sur les bras, que par... ?

DONE ELVIRE – Ah ! scélérat, c'est maintenant que je te connais tout entier ; et, pour mon malheur, je te connais lorsqu'il
90 n'en est plus temps, et qu'une telle connaissance ne peut plus me servir qu'à me désespérer. Mais sache que ton crime ne demeurera pas impuni, et que le même Ciel dont tu te joues me saura venger de ta perfidie.

[DON JUAN – Sganarelle, le Ciel !

95 SGANARELLE – Vraiment oui, nous nous moquons bien de cela, nous autres[3] !][4]

DON JUAN – Madame...

DONE ELVIRE – Il suffit. Je n'en veux pas ouïr davantage, et je m'accuse même d'en avoir trop entendu. C'est une lâcheté
100 que de se faire expliquer trop sa honte ; et, sur de tels sujets, un noble cœur, au premier mot, doit prendre son parti. N'attends pas que j'éclate ici en reproches et en injures : non, non, je n'ai point un courroux à exhaler en paroles vaines[5],

Notes

1. **vœux** : les religieuses s'engagent devant Dieu pour la vie entière à rester chastes et à obéir à la règle du couvent.
2. **disgrâce** : punition.
3. **nous autres** : Sganarelle parle pour Don Juan.
4. Les passages entre crochets sont les répliques censurées dans l'édition de 1682.
5. **je n'ai point un courroux à exhaler en paroles vaines** : je ne vais pas inutilement exprimer ma colère.

et toute sa chaleur se réserve pour sa vengeance. Je te le dis
105 encore, le Ciel te punira, perfide, de l'outrage que tu me fais ; et si le Ciel n'a rien que tu puisses appréhender[1], appréhende du moins la colère d'une femme offensée.

(Elle sort.)

SGANARELLE, *à part.* – Si le remords le pouvait prendre !

110 DON JUAN, *après une petite réflexion.* – Allons songer à l'exécution de notre entreprise amoureuse.

SGANARELLE, *seul.* – Ah ! quel abominable maître me vois-je obligé de servir !

Note

1. **appréhender** : craindre.

Don Juan.

Acte II

SCÈNE 1

CHARLOTTE, PIERROT

1 CHARLOTTE – Nostre-dinse[1], Piarrot[2], tu t'es trouvé là bien à point.

PIERROT – Parquienne[3] ! il ne s'en est pas fallu l'épaisseur d'une éplinque[4] qu'ils ne se sayant nayés[5] tous deux.

5 CHARLOTTE – C'est donc le coup de vent da matin qui les avoit renvarsés dans la mar ?

PIERROT – Aga[6] guien[7], Charlotte, je m'en vas te conter tout fin drait[8] comme cela est venu ; car, comme dit l'autre, je les

Notes

1. **Nostre-Dinse :** juron déformé pour atténuer l'injure qu'il fait au divin, dit pour « Notre-Dame », désignation respectueuse de Marie, mère de Jésus.
2. **Piarrot :** prononciation paysanne : le son « er » devient « ar » également dans les mots *renvarsés*, *mar*, *tarre*, *aparçu*, *envars*, etc.
3. **Parquienne :** de la même façon, dit pour « par Dieu » ; le nom de Dieu est modifié en « quenne, quienne, guenne, qué... » par Pierrot.
4. **éplinque :** épingle.
5. **qu'ils ne se sayant nayés :** conjugaison fautive, dit pour *« qu'ils ne se soient noyés »* ; de la même façon, on trouve *« qui nageant »* (l. 18) pour « nagent » ; *« je m'en vas »* (l. 7) pour « je m'en vais » ; *« j'estions »* (l. 10) pour « nous étions » ; *« je nous amusions »* (l. 10) pour « nous nous amusions », etc.
6. **Aga :** regarde.
7. **guien :** tiens.
8. **tout fin drait :** exactement.

ai le premier avisés[1], avisés le premier je les ai. Enfin donc,
10 j'estions sur le bord de la mar, moi et le gros Lucas, et je nous amusions à batifoler avec des mottes de tarre que je nous jesquions à la tête; car, comme tu sais bian, le gros Lucas aime à batifoler, et moi par fouas je batifole itou. En batifolant donc, pisque batifoler y a, j'ai aparçu de tout loin queuque
15 chose qui grouilloit dans gliau[2], et qui venoit comme envars nous par secousse. Je voyois cela fixiblement[3], et pis tout d'un coup je voyois que je ne voyois plus rien. « Eh! Lucas, ç'ai-je fait[4], je pense que vlà des hommes qui nageant là-bas. – Voire, ce m'a-t-il fait, t'as été au trépassement[5] d'un chat,
20 t'as la vue trouble. – Palsanquienne[6], ç'ai-je fait, je n'ai point la vue trouble : ce sont des hommes. – Point du tout, ce m'a-t-il fait, t'as la barlue[7]. – Veux-tu gager, ç'ai-je fait, que je n'ai point la barlue, ç'ai-je fait, et que sont deux hommes, ç'ai-je fait, qui nageant droit ici? ç'ai-je fait. – Morquenne[8]!
25 ce m'a-t-il fait, je gage que non. – Ô çà! ç'ai-je fait, veux-tu gager dix sols[9] que si? – Je le veux bian, ce m'a-t-il fait; et pour te montrer, vlà argent su jeu[10] », ce m'a-t-il fait. Moi, je n'ai point été ni fou ni étourdi; j'ai bravement bouté[11] à tarre quatre pièces tapées, et cinq sols en doubles[12], jergniguenne[13],
30 aussi hardiment que si j'avois avalé un varre de vin; car je ses hazardeux[14], moi, et je vas à la débandade[15]. Je savois bian

Notes

1. **avisés** : vus.
2. **qui grouilloit dans gliau** : qui s'agitait dans l'eau.
3. **fixiblement** : mot inventé à partir de « fixement » et « visiblement ».
4. **ç'ai-je fait** : forme populaire pour « lui dis-je », de même *« ce m'a-t-il fait »* (l. 19) remplace « me dit-il ».
5. **trépassement** : mort. Il s'agit d'une croyance superstitieuse selon laquelle voir mourir un chat, animal considéré comme maléfique, trouble la vue.
6. **Palsanquienne** : par le sang de Dieu.
7. **t'as la barlue** : tu as des hallucinations.
8. **Morquenne** : par la mort de Dieu.
9. **sols** : sous.
10. **vlà argent su jeu** : voilà ma mise.
11. **bouté** : jeté.
12. **quatre pièces tapées, et cinq sols en doubles** : ceci représente une mise de très faible valeur en petite monnaie.
13. **jergniguenne** : je renie Dieu.
14. **je ses hazardeux** : je suis joueur.
15. **je vas à la débandade** : je prends des risques.

ce que je faisois pourtant. Queuque gniais[1] ! Enfin donc, je n'avons pas putôt eu gagé, que j'avons vu les deux hommes tout à plain[2], qui nous faisiant signe de les aller quérir[3] ; et
35 moi de tirer auparavant les enjeux. « Allons, Lucas, ç'ai-je dit, tu vois bian qu'ils nous appelont : allons vite à leu secours.
– Non, ce m'a-t-il dit, ils m'ont fait pardre. » Ô ! donc, tanquia qu'à la parfin[4], pour le faire court[5], je l'ai tant sarmonné, que je nous sommes boutés dans une barque, et pis j'avons
40 tant fait cahin-caha[6], que je les avons tirés de gliau, et pis je les avons menés cheux nous auprès du feu, et pis ils se sant dépouillés tous nuds pour se sécher, et pis il y en est venu encor deux de la même bande, qui s'equiant[7] sauvés tout seuls, et pis Mathurine est arrivée là, à qui l'en a fait les doux
45 yeux. Vlà justement, Charlotte, comme tout ça s'est fait.

CHARLOTTE – Ne m'as-tu pas dit, Piarrot, qu'il y en a un qu'est bien pu mieux fait que les autres ?

PIERROT – Oui, c'est le Maître. Il faut que ce soit queuque gros[8] gros Monsieur, car il a du dor[9] à son habit tout depis le
50 haut jusqu'en bas ; et ceux qui le servont sont des Monsieux eux-mêmes ; et stapandant[10], tout gros Monsieur qu'il est, il seroit, par ma fique[11], nayé, si je n'aviomme[12] été là.

CHARLOTTE – Ardez un peu[13] !

PIERROT – Ô! parquenne, sans nous, il en avoit pour sa maine
55 de fèves[14].

CHARLOTTE – Est-il encore cheux toi tout nu, Piarrot ?

Notes

1. **Queuque gniais** : il aurait fallu être idiot pour ne pas le faire (tournure elliptique).
2. **tout à plain** : juste en face.
3. **quérir** : chercher.
4. **tanquia qu'à la parfin** : si bien qu'enfin.
5. **pour le faire court** : en bref.
6. **cahin-caha** : tant bien que mal.
7. **s'equiant** : s'étaient.
8. **gros** : important.
9. **du dor** : de l'or.
10. **stapandant** : cependant.
11. **par ma fique** : par ma foi.
12. **je n'aviomme** : je n'avais.
13. **Ardez un peu** : voyez cela.
14. **il en avoit pour sa maine de fèves** : littéralement « pour sa mesure de fèves », donc « il avait son compte ».

PIERROT – Nannain[1] : ils l'avont rhabillé tout devant nous. Mon quieu, je n'en avois jamais vu s'habiller. Que d'histoires et d'angigorniaux[2] boutont[3] ces Messieus-là les courtisans! 60 Je me pardrois là-dedans, pour moi, et j'étois tout ébobi[4] de voir ça. Quien, Charlotte, ils avont des cheveux qui ne tenont point à leu tête; et ils boutont ça après tout, comme un gros bonnet de filace[5]. Ils ant des chemises qui ant des manches où j'entrerions tout brandis[6], toi et moi. En glieu 65 d'haut-de-chausse[7], ils portont un garde-robe[8] aussi large que d'ici à Pâque; en glieu de pourpoint[9], de petites brassières[10] qui ne leu venont pas jusqu'au brichet[11]; et en glieu de rabats[12], un grand mouchoir de cou à reziau[13], aveuc quatre grosses houppes[14] de linge qui leu pendont sur l'estomaque. 70 Ils avont itou d'autres petits rabats au bout des bras, et de grands entonnois de passement[15] aux jambes, et parmi tout ça tant de rubans, tant de rubans, que c'est une vraie piquié. Igna pas jusqu'aux souliers qui n'en soiont farcis tout depis un bout jusqu'à l'autre; et ils sont faits d'eune façon que je 75 me romprois le cou aveuc.

CHARLOTTE – Par ma fi, Piarrot, il faut que j'aille voir un peu ça.

PIERROT – Ô! acoute un peu auparavant, Charlotte, j'ai queuque autre chose à te dire, moi.

80 CHARLOTTE – Eh bian! dis, qu'est-ce que c'est?

Notes

1. **Nannain** : non.
2. **d'angigorniaux** : de fanfreluches.
3. **boutont** : mettent.
4. **ébobi** : ébahi.
5. **filace** : fibre végétale de couleur jaune.
6. **tout brandis** : tout debout.
7. **En glieu d'haut-de-chausse** : en guise de culotte.
8. **garde-robe** : tablier.
9. **pourpoint** : veste.
10. **brassières** : chemises de femmes.
11. **brichet** : bréchet, sternum des oiseaux.
12. **rabats** : col.
13. **mouchoir de cou à reziau** : collerette en dentelle.
14. **houppes** : pan de tissu.
15. **entonnois de passement** : cornets de dentelle.

PIERROT – Vois-tu, Charlotte, il faut, comme dit l'autre, que je débonde[1] mon cœur. Je t'aime, tu le sais bian, et je sommes pour être mariés ensemble ; mais marquenne[2], je ne suis point satisfait de toi.

85 CHARLOTTE – Quement ? qu'est-ce que c'est donc qu'iglia ?

PIERROT – Iglia que tu me chagraignes[3] l'esprit, franchement.

CHARLOTTE – Et quement donc ?

PIERROT – Testiguienne[4] ! tu ne m'aimes point.

CHARLOTTE – Ah ! ah ! n'est-ce que ça ?

90 PIERROT – Oui, ce n'est que ça, et c'est bian assez.

CHARLOTTE – Mon quieu, Piarrot, tu me viens toujou dire la même chose.

PIERROT – Je te dis toujou la même chose, parce que c'est toujou la même chose ; et si ce n'étoit pas toujou la même chose,
95 je ne te dirois pas toujou la même chose.

CHARLOTTE – Mais qu'est-ce qu'il te faut ? Que veux-tu ?

PIERROT – Jerniquenne ! je veux que tu m'aimes.

CHARLOTTE – Est-ce que je ne t'aime pas ?

PIERROT – Non, tu ne m'aimes pas ; et si[5] je fais tout ce que je
100 pis pour ça : je t'achète, sans reproche, des rubans à tous les marciers[6] qui passont ; je me romps le cou à t'aller dénicher des marles ; je fais jouer pour toi les vielleux[7] quand ce vient ta fête ; et tout ça, comme si je me frapois la tête contre un mur. Vois-tu, ça [n'est] ni biau ni honneste de n'aimer pas les
105 gens qui nous aimont.

CHARLOTTE – Mais, mon guieu[8], je t'aime aussi.

Notes

1. **débonde** : soulage, vide.
2. **marquenne** : par la mère de Dieu.
3. **tu me chagraignes** : tu me chagrines.
4. **Testiguienne** : par la tête de Dieu.
5. **et si** : et pourtant.
6. **marciers** : merciers, marchands de rubans et de fournitures de couture.
7. **vielleux** : musiciens jouant de la vielle, instrument populaire.
8. **mon guieu** : mon Dieu.

PIERROT – Oui, tu m'aimes d'une belle deguaine[1] !

CHARLOTTE – Quement veux-tu donc qu'on fasse ?

PIERROT – Je veux que l'en fasse comme l'en fait quand l'en
110 aime comme il faut.

CHARLOTTE – Ne t'aimé-je pas aussi comme il faut ?

PIERROT – Non : quand ça est, ça se void, et l'en fait mille petites singeries aux personnes quand on les aime du bon du cœur. Regarde la grosse Thomasse, comme elle est assotée[2]
115 du jeune Robain : alle est toujou autour de li à l'agacer, et ne le laisse jamais en repos. Toujou al li fait queuque niche[3] ou li baille quelque taloche[4] en passant ; et l'autre jour qu'il estoit assis sur un escabiau, al fut le tirer de dessous li, et le fit choir tout de son long par tarre. Jarni ! vlà où l'en voit les gens
120 qui aimont ; mais toi, tu ne me dis jamais mot, t'es toujou là comme eune vraie souche de bois, et je passerois vingt fois devant toi, que tu ne te grouillerois pas[5] pour me bailler le moindre coup, ou me dire la moindre chose. Ventrequenne ! ça n'est pas bian, après tout, et t'es trop froide pour les gens.

125 CHARLOTTE – Que veux-tu que j'y fasse ? C'est mon himeur, et je ne me pis refondre[6].

PIERROT – Ignia himeur qui quienne. Quand en a l'amiquié pour les personnes, l'an en baille toujou queuque petite signifiance.

130 CHARLOTTE – Enfin, je t'aime tout autant que je pis, et si tu n'es pas content de ça, tu n'as qu'à en aimer queuquautre.

Notes

1. **deguaine** : façon.
2. **assotée** : entichée, obsédée par.
3. **niche** : farce.
4. **li baille quelque taloche** : lui donne une tape.
5. **tu ne te grouillerois pas** : tu ne bougerais pas.
6. **je ne me pis refondre** : je ne peux me refaire.

PIERROT – Eh bien! vlà pas mon compte[1]? Testigué! si tu m'aimois, me dirois-tu ça?

CHARLOTTE – Pourquoi me viens-tu aussi tarabuster l'esprit?

135 PIERROT – Morqué! queu mal te fais-je? Je ne te demande qu'un peu d'amiquié.

CHARLOTTE – Eh bian! laisse faire aussi, et ne me presse point tant. Peut-être que ça viendra tout d'un coup sans y songer.

PIERROT – Touche donc là[2], Charlotte.

140 CHARLOTTE – Eh bien! quien[3].

PIERROT – Promets-moi donc que tu tâcheras de m'aimer davantage.

CHARLOTTE – J'y ferai tout ce que je pourrai, mais il faut que ça vienne de lui-même. Piarrot, est-ce là ce Monsieur?

145 PIERROT – Oui, le vlà.

CHARLOTTE – Ah! mon quieu, qu'il est genti[4], et que ç'auroit été dommage qu'il eût été nayé.

PIERROT – Je revians tout à l'heure : je m'en vas boire chopaine[5] pour me rebouter[6] tant soit peu de la fatigue que j'ais

150 eue.

SCÈNE 2

DON JUAN, SGANARELLE, CHARLOTTE

1 DON JUAN – Nous avons manqué notre coup, Sganarelle, et cette bourrasque imprévue a renversé avec notre barque le projet que nous avions fait; mais, à te dire vrai, la paysanne que je viens de quitter répare ce malheur, et je lui ai trouvé

Notes

1. **vlà pas mon compte** : cela ne me convient pas, ne fait pas mon affaire.
2. **Touche donc là** : donne-moi la main.
3. **quien** : tiens.
4. **genti** : bel homme.
5. **chopaine** : petite bouteille de vin.
6. **rebouter** : remettre.

5 des charmes qui effacent de mon esprit tout le chagrin que me donnait le mauvais succès[1] de notre entreprise. Il ne faut pas que ce cœur m'échappe, et j'y ai déjà jeté des dispositions à ne pas me souffrir longtemps de pousser des soupirs[2].

SGANARELLE – Monsieur, j'avoue que vous m'étonnez[3]. À 10 peine sommes-nous échappés d'un péril de mort, qu'au lieu de rendre grâce au Ciel de la pitié qu'il a daigné prendre de nous, vous travaillez tout de nouveau à attirer sa colère par vos fantaisies accoutumées et vos amours cr...[4] Paix ! coquin que vous êtes ; vous ne savez ce que vous dites, et Monsieur 15 sait ce qu'il fait. Allons.

DON JUAN, *apercevant Charlotte.* – Ah ! ah ! d'où sort cette autre paysanne, Sganarelle ? As-tu rien vu de plus joli ? et ne trouves-tu pas, dis-moi, que celle-ci vaut bien l'autre ?

SGANARELLE – Assurément. Autre pièce[5] nouvelle.

20 DON JUAN – D'où me vient, la belle, une rencontre si agréable ? Quoi ? dans ces lieux champêtres, parmi ces arbres et ces rochers, on trouve des personnes faites comme vous êtes ?

CHARLOTTE – Vous voyez, Monsieur.

DON JUAN – Êtes-vous de ce village ?

25 CHARLOTTE – Oui, Monsieur.

DON JUAN – Et vous y demeurez ?

CHARLOTTE – Oui, Monsieur.

DON JUAN – Vous vous appelez ?

CHARLOTTE – Charlotte, pour vous servir.

30 DON JUAN – Ah ! la belle personne, et que ses yeux sont pénétrants !

Notes

1. **le mauvais succès** : l'échec.
2. **j'y ai déjà [...] soupirs** : je l'ai déjà mise en condition telle qu'elle ne me laissera pas longtemps soupirer.
3. **m'étonnez** : me sidérez.
4. **cr...** : criminelles.
5. **pièce** : tromperie.

CHARLOTTE – Monsieur, vous me rendez toute honteuse.

DON JUAN – Ah ! n'ayez point de honte d'entendre dire vos vérités. Sganarelle, qu'en dis-tu ? Peut-on rien voir de plus
35 agréable ? Tournez-vous un peu, s'il vous plaît. Ah ! que cette taille est jolie ! Haussez un peu la tête, de grâce. Ah ! que ce visage est mignon ! Ouvrez vos yeux entièrement. Ah ! qu'ils sont beaux ! Que je voie un peu vos dents, je vous prie. Ah ! qu'elles sont amoureuses[1], et ces lèvres appétissantes ! Pour
40 moi, je suis ravi, et je n'ai jamais vu une si charmante personne.

CHARLOTTE – Monsieur, cela vous plaît à dire, et je ne sais pas si c'est pour vous railler[2] de moi.

DON JUAN – Moi, me railler de vous ? Dieu m'en garde ! je
45 vous aime trop pour cela, et c'est du fond du cœur que je vous parle.

CHARLOTTE – Je vous suis bien obligée[3], si ça est.

DON JUAN – Point du tout ; vous ne m'êtes point obligée de tout ce que je dis, et ce n'est qu'à votre beauté que vous en
50 êtes redevable.

CHARLOTTE – Monsieur, tout ça est trop bien dit pour moi, et je n'ai pas d'esprit pour vous répondre.

DON JUAN – Sganarelle, regarde un peu ses mains.

CHARLOTTE – Fi ! Monsieur, elles sont noires comme je ne
55 sais quoi.

DON JUAN – Ha ! que dites-vous là ? Elles sont les plus belles du monde ; souffrez que je les baise, je vous prie.

CHARLOTTE – Monsieur, c'est trop d'honneur que vous me faites, et, si j'avais su ça tantôt, je n'aurais pas manqué de les
60 laver avec du son.

Notes

1. **amoureuses** : admirables, dignes d'être aimées.

2. **railler** : moquer.

3. **obligée** : reconnaissante.

DON JUAN – Et dites-moi un peu, belle Charlotte, vous n'êtes pas mariée, sans doute?

CHARLOTTE – Non, Monsieur; mais je dois bientôt l'être avec Piarrot, le fils de la voisine Simonette.

65 DON JUAN – Quoi! une personne comme vous serait la femme d'un simple paysan? Non, non, c'est profaner[1] tant de beautés, et vous n'êtes pas née pour demeurer dans un village. Vous méritez sans doute une meilleure fortune, et le Ciel, qui le connaît[2] bien, m'a conduit ici tout exprès pour empê-70 cher ce mariage, et rendre justice à vos charmes; car enfin, belle Charlotte, je vous aime de tout mon cœur, et il ne tiendra qu'à vous que je vous arrache de ce misérable lieu, et ne vous mette dans l'état où vous méritez d'être. Cet amour est bien prompt sans doute; mais quoi! c'est un effet, Charlotte, 75 de votre grande beauté, et l'on vous aime autant en un quart d'heure, qu'on ferait une autre en six mois.

CHARLOTTE – Aussi vrai, Monsieur, je ne sais comment faire quand vous parlez. Ce que vous dites me fait aise, et j'aurais toutes les envies du monde de vous croire; mais on m'a tou-80 jou dit qu'il ne faut jamais croire les Monsieux, et que vous autres courtisans êtes des enjôleus, qui ne songez qu'à abuser[3] les filles.

DON JUAN – Je ne suis pas de ces gens-là.

SGANARELLE – Il n'a garde[4].

85 CHARLOTTE – Voyez-vous, Monsieur, il n'y a pas plaisir à se laisser abuser. Je suis une pauvre paysanne; mais j'ai l'honneur en recommandation[5], et j'aimerais mieux me voir morte, que de me voir déshonorée.

Notes

1. **profaner** : manquer de respect à.
2. **connaît** : sait.
3. **abuser** : tromper.
4. **Il n'a garde** : il se garde bien (d'être de ces gens-là).
5. **j'ai l'honneur en recommandation** : j'ai le souci de mon honneur.

DON JUAN – Moi, j'aurais l'âme assez méchante pour abuser
90 une personne comme vous? Je serais assez lâche pour vous déshonorer? Non, non, j'ai trop de conscience pour cela. Je vous aime, Charlotte, en tout bien et en tout honneur; et pour vous montrer que je vous dis vrai, sachez que je n'ai point d'autre dessein que de vous épouser : en voulez-vous
95 un plus grand témoignage? M'y voilà prêt quand vous voudrez; et je prends à témoin l'homme que voilà de la parole que je vous donne.

SGANARELLE – Non, non, ne craignez point : il se mariera avec vous tant que vous voudrez.

100 DON JUAN – Ah! Charlotte, je vois bien que vous ne me connaissez pas encore. Vous me faites grand tort de juger de moi par les autres; et s'il y a des fourbes dans le monde, des gens qui ne cherchent qu'à abuser des filles, vous devez me tirer du nombre, et ne pas mettre en doute la sincérité de ma
105 foi[1]. Et puis votre beauté vous assure de tout. Quand on est faite comme vous, on doit être à couvert de toutes ces sortes de craintes; vous n'avez point l'air, croyez-moi, d'une personne qu'on abuse; et pour moi, je l'avoue, je me percerais le cœur de mille coups, si j'avais eu la moindre pensée de
110 vous trahir.

CHARLOTTE – Mon Dieu! je ne sais si vous dites vrai, ou non; mais vous faites que l'on vous croit.

DON JUAN – Lorsque vous me croirez, vous me rendrez justice assurément, et je vous réitère encore la promesse que je
115 vous ai faite. Ne l'acceptez-vous pas, et ne voulez-vous pas consentir à être ma femme?

CHARLOTTE – Oui, pourvu que[2] ma tante le veuille.

DON JUAN – Touchez donc là, Charlotte, puisque vous le voulez bien de votre part.

Notes

1. **foi** : promesse.

2. **pourvu que** : à condition que.

120 CHARLOTTE – Mais au moins, Monsieur, ne m'allez pas tromper, je vous prie : il y aurait de la conscience à vous[1], et vous voyez comme j'y vais à la bonne foi[2].

DON JUAN – Comment ? Il semble que vous doutiez encore de ma sincérité ! Voulez-vous que je fasse des serments épou-
125 vantables ? Que le Ciel…

CHARLOTTE – Mon Dieu, ne jurez point, je vous crois.

DON JUAN – Donnez-moi donc un petit baiser pour gage de votre parole.

CHARLOTTE – Oh ! Monsieur, attendez que je soyons mariés,
130 je vous prie ; après ça, je vous baiserai tant que vous voudrez.

DON JUAN – Eh bien ! belle Charlotte, je veux tout ce que vous voulez ; abandonnez-moi seulement votre main, et souffrez que, par mille baisers, je lui exprime le ravissement où je suis…

Notes

1. il y aurait de la conscience à vous : vous vous sentiriez coupable.

2. j'y vais à la bonne foi : je vous fais confiance.

Le séducteur à l'œuvre

Lecture analytique de l'extrait (p. 37, l. 1, à p. 42, l. 134)

Séduire : une question de circonstances

La scène de séduction

Lieu commun théâtral, la scène de séduction confronte un chasseur plus ou moins habile et une proie plus ou moins rusée. Elle est l'occasion d'une critique des caractères et d'une réflexion morale.

1. Quels événements se sont produits depuis la fin de l'acte I ?
2. Dans quel état d'esprit, révélé par le dialogue avec Pierrot dans la scène précédente, se trouve Charlotte à l'arrivée de Don Juan ?
3. Dans quel état d'esprit Don Juan est-il à son entrée en scène ? Pourquoi veut-il séduire la paysanne Charlotte ?

Séduire : une question de stratégie

4. Quels sont les différents moyens employés par Don Juan pour séduire Charlotte ? Évaluez l'efficacité de son argumentation.
5. Charlotte est-elle désarmée devant ces manœuvres ou peut-on considérer qu'elle a également une stratégie ?
6. Analysez le rôle de Sganarelle dans cet échange. Quel effet ses interventions produisent-elles ?

Satire des mœurs

Les paysans au XVIIe siècle

La Bruyère décrit ainsi la paysannerie dans ses *Caractères* : « *L'on voit certains animaux farouches, des mâles et des femelles, répandus dans les campagnes, noirs, livides, et tout brûlés de soleil, attachés à la terre qu'ils fouillent et qu'ils remuent avec une opiniâtreté invincible. Ils ont une voix articulée, et, quand ils se lèvent sur leurs pieds, ils montrent une face humaine et, en effet, ils sont des hommes.* »

7. Quels propos, dans le discours de Don Juan, montrent qu'il se moque de Charlotte sans qu'elle en soit consciente ? Quelle critique Molière fait-il de l'attitude de cet aristocrate ?

8. Quelle satire de la mentalité paysanne peut-on voir dans cet échange ?

Scène comique ou pathétique* ?

*** Pathétique :** émouvante.

9. Relisez la scène en faisant les deux hypothèses suivantes :
– Don Juan mène le jeu et Charlotte est une victime innocente ;
– Charlotte laisse croire à Don Juan qu'il mène le jeu.
Le dialogue supporte-t-il ces deux interprétations ? Justifiez votre réponse.

Cf. document 5.

10. Comment comprenez-vous le choix du metteur en scène Jean Martinez d'avoir situé les scènes avec les paysannes dans une arène ?

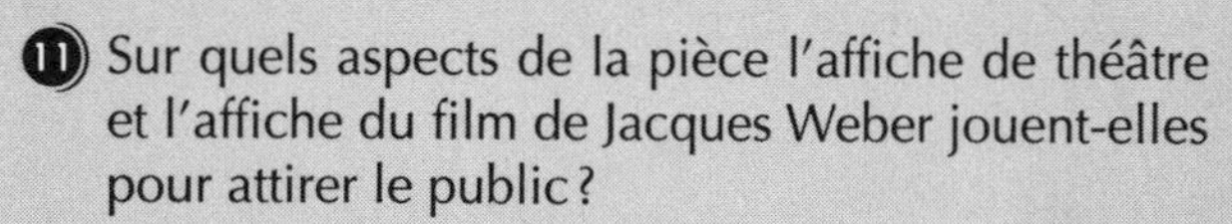

11. Sur quels aspects de la pièce l'affiche de théâtre et l'affiche du film de Jacques Weber jouent-elles pour attirer le public ?

Cf. documents 2 et 3.

SCÈNE 3

DON JUAN, SGANARELLE, PIERROT, CHARLOTTE

1 PIERROT, *se mettant entre deux et poussant Don Juan.* – Tout doucement, Monsieur, tenez-vous, s'il vous plaît. Vous vous échauffez trop, et vous pourriez gagner la purésie[1].

DON JUAN, *repoussant rudement Pierrot.* – Qui m'amène cet im-
5 pertinent?

PIERROT – Je vous dis qu'ou vous tegniez[2], et qu'ou ne caressiais point nos accordées[3].

DON JUAN *continue de le repousser.* – Ah! que de bruit!

PIERROT – Jerniquenne[4]! ce n'est pas comme ça qu'il faut
10 pousser les gens.

CHARLOTTE, *prenant Pierrot par le bras.* – Et laisse-le faire aussi, Piarrot.

PIERROT – Quement? que je le laisse faire? Je ne veux pas, moi.

15 DON JUAN – Ah!

PIERROT – Testiguenne! parce qu'ous êtes Monsieu, ous viendrez caresser nos femmes à note barbe[5]? Allez-v's-en caresser les vôtres.

DON JUAN – Heu?

20 PIERROT – Heu. *(Don Juan lui donne un soufflet.)* Testigué! ne me frappez pas. *(Autre soufflet.)* Oh! jernigué[6]! *(Autre soufflet.)* Ventrequé! *(Autre soufflet.)* Palsanqué! Morquenne! ça n'est pas bian de battre les gens et ce n'est pas là la récompense de v's avoir sauvé d'être nayé.

Notes

1. **purésie** : pleurésie, inflammation de la membrane enveloppant les poumons.
2. **qu'ou vous tegniez** : que vous vous conteniez.
3. **accordées** : fiancées.
4. **Jerniquenne** : juron.
5. **à note barbe** : sous notre nez.
6. **jernigué** : je renie Dieu.

25 CHARLOTTE – Pierrot, ne te fâche point.

PIERROT – Je me veux fâcher; et t'es une vilaine, toi, d'endurer[1] qu'on te cajole.

CHARLOTTE – Oh! Piarrot, ce n'est pas ce que tu penses. Ce monsieur veut m'épouser, et tu ne dois pas te bouter[2] en
30 colère.

PIERROT – Quement? Jerni[3]! tu m'es promise.

CHARLOTTE – Ça n'y fait rien, Piarrot. Si tu m'aimes, ne doistu pas être bien aise que je devienne Madame?

PIERROT – Jerniqué! non. J'aime mieux te voir crevée que de
35 te voir à un autre.

CHARLOTTE – Va, va, Piarrot, ne te mets point en peine : si je sis Madame, je te ferai gagner queuque chose et tu apporteras du beurre et du fromage cheux nous.

PIERROT – Ventrequenne! je gni en porterai jamais, quand tu
40 m'en poyerois deux fois autant. Est-ce donc comme ça que t'écoutes ce qu'il te dit? Morquenne! si j'avois su ça tantôt, je me serois bian gardé de le tirer de gliau, et je gli aurois baillé un bon coup d'aviron sur la tête.

DON JUAN, *s'approchant de Pierrot pour le frapper.* – Qu'est-ce
45 que vous dites?

PIERROT, *s'éloignant derrière Charlotte.* – Jerniquenne! je ne crains parsonne.

DON JUAN *passe du côté où est Pierrot.* – Attendez-moi un peu.

PIERROT *repasse de l'autre côté de Charlotte.* – Je me moque de
50 tout, moi.

DON JUAN *court après Pierrot.* – Voyons cela.

PIERROT *se sauve encore derrière Charlotte.* – J'en avons bien vu d'autres.

Notes

1. **d'endurer** : d'accepter.
2. **bouter** : mettre.
3. **Jerni** : je ne suis pas d'accord.

DON JUAN – Houais !

55 SGANARELLE – Eh ! Monsieur, laissez là ce pauvre misérable. C'est conscience[1] de le battre. Écoute, mon pauvre garçon, retire-toi, et ne lui dis rien.

PIERROT *passe devant Sganarelle et dit fièrement à Don Juan.* – Je veux lui dire, moi !

60 DON JUAN *lève la main pour donner un soufflet à Pierrot, qui baisse la tête, et Sganarelle reçoit le soufflet.* – Ah ! je vous apprendrai.

SGANARELLE, *regardant Pierrot, qui s'est baissé pour éviter le soufflet.* – Peste soit du maroufle[2] !

DON JUAN – Te voilà payé de ta charité.

65 PIERROT – Jarni ! je vas dire à sa tante tout ce ménage-ci[3].

DON JUAN – Enfin je m'en vais être le plus heureux de tous les hommes, et je ne changerais pas mon bonheur à[4] toutes les choses du monde. Que de plaisirs quand vous serez ma femme ! et que…

SCÈNE 4

DON JUAN, SGANARELLE, CHARLOTTE, MATHURINE

1 SGANARELLE, *apercevant Mathurine.* – Ah ! ah !

MATHURINE, *à Don Juan.* – Monsieur, que faites-vous donc là avec Charlotte ? Est-ce que vous lui parlez d'amour aussi ?

DON JUAN, *à Mathurine.* – Non, au contraire, c'est elle qui me
5 témoignait une envie d'être ma femme, et je lui répondais que j'étais engagé à vous.

Notes

1. **C'est conscience** : c'est mal.
2. **Peste soit du maroufle** : que la peste emporte ce gredin.
3. **tout ce ménage-ci** : toute cette affaire.
4. **à** : contre.

CHARLOTTE – Qu'est-ce que c'est donc que vous veut Mathurine ?

DON JUAN, *bas, à Charlotte.* – Elle est jalouse de me voir vous
10 parler, et voudrait bien que je l'épousasse ; mais je lui dis que c'est vous que je veux.

MATHURINE – Quoi ? Charlotte…

DON JUAN, *bas, à Mathurine.* – Tout ce que vous lui direz sera inutile ; elle s'est mis cela dans la tête.

15 CHARLOTTE – Quement donc ! Mathurine…

DON JUAN, *bas, à Charlotte.* – C'est en vain que vous lui parlerez ; vous ne lui ôterez point cette fantaisie[1].

MATHURINE – Est-ce que… ?

DON JUAN, *bas, à Mathurine.* – Il n'y a pas moyen de lui faire
20 entendre raison.

CHARLOTTE – Je voudrais…

DON JUAN, *bas, à Charlotte.* – Elle est obstinée comme tous les diables.

MATHURINE – Vramant…

25 DON JUAN, *bas, à Mathurine.* – Ne lui dites rien, c'est une folle.

CHARLOTTE – Je pense…

DON JUAN, *bas, à Charlotte.* – Laissez-la là, c'est une extravagante.

MATHURINE – Non, non : il faut que je lui parle.

30 CHARLOTTE – Je veux voir un peu ses raisons[2].

MATHURINE – Quoi ?…

DON JUAN, *bas, à Mathurine.* – Je gage qu'elle va vous dire que je lui ai promis de l'épouser.

CHARLOTTE – Je…

Notes

1. **fantaisie** : idée fixe.

2. **raisons** : explications.

Don Juan entouré de Charlotte et de Mathurine,
sous le regard de Sganarelle.
Dessin d'Alexandre Desenne (1785-1827).

DON JUAN, *bas, à Charlotte.* – Gageons qu'elle vous soutiendra que je lui ai donné parole de la prendre pour femme.

MATHURINE – Holà ! Charlotte, ça n'est pas bien de courir sur le marché des autres[1].

CHARLOTTE – Ça n'est pas honnête, Mathurine, d'être jalouse que Monsieur me parle.

MATHURINE – C'est moi que Monsieur a vue la première.

CHARLOTTE – S'il vous a vue la première, il m'a vue la seconde et m'a promis de m'épouser.

DON JUAN, *bas, à Mathurine.* – Eh bien ! que vous ai-je dit ?

MATHURINE – Je vous baise les mains[2], c'est moi, et non pas vous, qu'il a promis d'épouser.

DON JUAN, *bas, à Charlotte.* – N'ai-je pas deviné ?

CHARLOTTE – À d'autres, je vous prie ; c'est moi, vous dis-je.

MATHURINE – Vous vous moquez des gens ; c'est moi, encore un coup.

CHARLOTTE – Le vlà qui est pour le dire[3], si je n'ai pas raison.

MATHURINE – Le vlà qui est pour me démentir, si je ne dis pas vrai.

CHARLOTTE – Est-ce, Monsieur, que vous lui avez promis de l'épouser ?

DON JUAN, *bas, à Charlotte.* – Vous vous raillez de moi.

MATHURINE – Est-il vrai, Monsieur, que vous lui avez donné parole d'être son mari ?

DON JUAN, *bas, à Mathurine.* – Pouvez-vous avoir cette pensée ?

1. courir sur le marché des autres : chercher à s'accaparer les avantages des autres.

2. Je vous baise les mains : équivalent d'« excusez-moi ».

3. Le vlà qui est pour le dire : il va le dire lui-même.

CHARLOTTE – Vous voyez qu'al le soutient.

DON JUAN, *bas, à Charlotte.* – Laissez-la faire.

MATHURINE – Vous êtes témoin comme al l'assure.

DON JUAN, *bas, à Mathurine.* – Laissez-la dire.

65 CHARLOTTE – Non, non, il faut savoir la vérité.

MATHURINE – Il est question de juger ça[1].

CHARLOTTE – Oui, Mathurine, je veux que Monsieur vous montre votre bec jaune[2].

MATHURINE – Oui, Charlotte, je veux que Monsieur vous
70 rende un peu camuse[3].

CHARLOTTE – Monsieur, vuidez la querelle[4], s'il vous plaît.

MATHURINE – Mettez-nous d'accord, Monsieur.

CHARLOTTE, *à Mathurine.* – Vous allez voir.

MATHURINE, *à Charlotte.* – Vous allez voir vous-même.

75 CHARLOTTE, *à Don Juan.* – Dites.

MATHURINE, *à Don Juan.* – Parlez.

DON JUAN, *embarrassé, leur dit à toutes deux.* – Que voulez-vous que je dise ? Vous soutenez également toutes deux que je vous ai promis de vous prendre pour femmes. Est-ce que chacune
80 de vous ne sait pas ce qui en est, sans qu'il soit nécessaire que je m'explique davantage ? Pourquoi m'obliger là-dessus à des redites ? Celle à qui j'ai promis effectivement n'a-t-elle pas en elle-même de quoi se moquer des discours de l'autre, et doit-elle se mettre en peine, pourvu que j'accomplisse ma
85 promesse ? Tous les discours n'avancent point les choses ; il faut faire et non pas dire, et les effets[5] décident mieux que

1. Il est question de juger ça : il faut trancher.
2. votre bec jaune : attribut de l'oie, volatile qui symbolise la naïveté, la sottise.
3. vous rende camuse : vous fasse honte.
4. vuidez la querelle : tranchez.
5. effets : actes.

les paroles. Aussi n'est-ce rien que par là que je vous veux mettre d'accord, et l'on verra, quand je me marierai, laquelle des deux a mon cœur. *(Bas, à Mathurine.)* Laissez-lui croire ce
90 qu'elle voudra. *(Bas, à Charlotte.)* Laissez-la se flatter dans son imagination. *(Bas, à Mathurine.)* Je vous adore. *(Bas, à Charlotte.)* Je suis tout à vous. *(Bas, à Mathurine.)* Tous les visages sont laids auprès du vôtre. *(Bas, à Charlotte.)* On ne peut plus souffrir les autres quand on vous a vue. J'ai un petit ordre à
95 donner ; je viens vous retrouver dans un quart d'heure.

CHARLOTTE, *à Mathurine.* – Je suis celle qu'il aime, au moins.

MATHURINE – C'est moi qu'il épousera.

SGANARELLE – Ah ! pauvres filles que vous êtes, j'ai pitié de votre innocence, et je ne puis souffrir de vous voir courir à
100 votre malheur. Croyez-moi l'une et l'autre : ne vous amusez point à[1] tous les contes qu'on vous fait, et demeurez dans votre village.

DON JUAN, *revenant.* – Je voudrais bien savoir pourquoi Sganarelle ne me suit pas.

105 SGANARELLE – Mon maître est un fourbe ; il n'a dessein que de vous abuser, et en a bien abusé d'autres ; c'est l'épouseur du genre humain, et... *(Il aperçoit Don Juan.)* Cela est faux ; et quiconque vous dira cela, vous lui devez dire qu'il en a menti. Mon maître n'est point l'épouseur du genre humain,
110 il n'est point fourbe, il n'a pas dessein de vous tromper, et n'en a point abusé d'autres. Ah ! tenez, le voilà ; demandez-le plutôt à lui-même.

DON JUAN – Oui.

1. ne vous amusez point à : ne vous laissez pas séduire par, ne perdez pas votre temps avec.

SGANARELLE – Monsieur, comme le monde est plein de médi-
115 sants, je vais au-devant des choses; et je leur disais que, si quelqu'un leur venait dire du mal de vous, elles se gardassent bien de le croire, et ne manquassent pas de lui dire qu'il en aurait menti.

DON JUAN – Sganarelle.

120 SGANARELLE – Oui, Monsieur est homme d'honneur, je le garantis tel.

DON JUAN – Hon!

SGANARELLE – Ce sont des impertinents.

SCÈNE 5

DON JUAN, LA RAMÉE, CHARLOTTE, MATHURINE, SGANARELLE

1 LA RAMÉE – Monsieur, je viens vous avertir qu'il ne fait pas bon ici pour vous.

DON JUAN – Comment?

LA RAMÉE – Douze hommes à cheval vous cherchent, qui
5 doivent arriver ici dans un moment; je ne sais pas par quel moyen ils peuvent vous avoir suivi; mais j'ai appris cette nouvelle d'un paysan qu'ils ont interrogé, et auquel ils vous ont dépeint. L'affaire presse, et le plus tôt que vous pourrez sortir d'ici sera le meilleur.

10 DON JUAN, *à Charlotte et Mathurine.* – Une affaire pressante m'oblige de partir d'ici; mais je vous prie de vous ressouvenir de la parole que je vous ai donnée, et de croire que vous aurez de mes nouvelles avant qu'il soit demain au soir. *(Charlotte et Mathurine s'éloignent.)* Comme la partie n'est pas égale,
15 il faut user de stratagème, et éluder adroitement le malheur qui me cherche. Je veux que Sganarelle se revête de mes habits, et moi…

SGANARELLE – Monsieur, vous vous moquez. M'exposer à être tué sous vos habits, et…

20 DON JUAN – Allons vite ! c'est trop d'honneur que je vous fais, et bien heureux est le valet qui peut avoir la gloire de mourir pour son maître.

SGANARELLE – Je vous remercie d'un tel honneur. Ô Ciel, puisqu'il s'agit de mort, fais-moi la grâce de n'être point pris

25 pour un autre !

Acte III

SCÈNE 1

DON JUAN, *en habit de campagne*[1], SGANARELLE, *en médecin*

1 SGANARELLE – Ma foi, Monsieur, avouez que j'ai eu raison, et que nous voilà l'un et l'autre déguisés à merveille. Votre premier dessein n'était point du tout à propos, et ceci nous cache bien mieux que tout ce que vous vouliez faire.

5 DON JUAN – Il est vrai que te voilà bien, et je ne sais où tu as été déterrer cet attirail ridicule.

SGANARELLE – Oui ? C'est l'habit d'un vieux médecin, qui a été laissé en gage[2] au lieu où je l'ai pris, et il m'en a coûté de l'argent pour l'avoir. Mais savez-vous, Monsieur, que cet

10 habit me met déjà en considération, que je suis salué des gens que je rencontre, et que l'on me vient consulter ainsi qu'un habile[3] homme ?

DON JUAN – Comment donc ?

SGANARELLE – Cinq ou six paysans et paysannes, en me voyant

15 passer, me sont venus demander mon avis sur différentes maladies.

Notes

1. ***habit de campagne*** : tenue de voyage.
2. **en gage** : en guise de paiement.
3. **habile** : savant.

DON JUAN – Tu leur as répondu que tu n'y entendais rien ?

SGANARELLE – Moi ? Point du tout. J'ai voulu soutenir l'honneur de mon habit : j'ai raisonné sur le mal, et leur ai fait des
20 ordonnances à chacun.

DON JUAN – Et quels remèdes encore leur as-tu ordonnés ?

SGANARELLE – Ma foi ! Monsieur, j'en ai pris par où j'en ai pu attraper ; j'ai fait mes ordonnances à l'aventure, et ce serait une chose plaisante si les malades guérissaient, et qu'on m'en
25 vînt remercier.

DON JUAN – Et pourquoi non ? Par quelle raison n'aurais-tu pas les mêmes privilèges qu'ont tous les autres médecins ? Ils n'ont pas plus de part que toi aux guérisons des malades, et tout leur art est pure grimace[1]. Ils ne font rien que recevoir
30 la gloire des heureux succès[2], et tu peux profiter comme eux du bonheur du malade, et voir attribuer à tes remèdes tout ce qui peut venir des faveurs du hasard et des forces de la nature.

SGANARELLE – Comment, Monsieur, vous êtes aussi impie en médecine ?

35 DON JUAN – C'est une des grandes erreurs qui soit parmi les hommes.

SGANARELLE – Quoi ? vous ne croyez pas au séné[3], ni à la casse[4], ni au vin émétique[5] ?

DON JUAN – Et pourquoi veux-tu que j'y croie ?

40 SGANARELLE – Vous avez l'âme bien mécréante. Cependant vous voyez, depuis un temps, que le vin émétique fait bruire ses fuseaux[6]. Ses miracles ont converti les plus incrédules

Notes

1. **grimace** : mise en scène.
2. **heureux succès** : résultats dus au hasard.
3. **séné** : graine à effet laxatif.
4. **casse** : gousse à effet laxatif.
5. **émétique** : vomitif.
6. **fait bruire ses fuseaux** : fait grand bruit. Ce remède était alors très controversé dans le milieu médical et défendu par Mauvillain, le médecin de Molière.

esprits, et il n'y a pas trois semaines que j'en ai vu, moi qui vous parle, un effet merveilleux.

45 DON JUAN – Et quel ?

SGANARELLE – Il y avait un homme qui, depuis six jours, était à l'agonie ; on ne savait plus que lui ordonner, et tous les remèdes ne faisaient rien ; on s'avisa à la fin de lui donner de l'émétique.

50 DON JUAN – Il réchappa, n'est-ce pas ?

SGANARELLE – Non, il mourut.

DON JUAN – L'effet est admirable.

SGANARELLE – Comment ? il y avait six jours entiers qu'il ne pouvait mourir, et cela le fit mourir tout d'un coup. Voulez-
55 vous rien de plus efficace ?

DON JUAN – Tu as raison.

SGANARELLE – Mais laissons là la médecine, où vous ne croyez point, et parlons des autres choses ; car cet habit me donne de l'esprit, et je me sens en humeur de disputer contre vous[1].
60 Vous savez bien que vous me permettez les disputes, et que vous ne me défendez que les remontrances.

DON JUAN – Eh bien ?

SGANARELLE – Je veux savoir un peu vos pensées à fond. Est-il possible que vous ne croyiez point du tout au Ciel ?

65 DON JUAN – Laissons cela.

SGANARELLE – C'est-à-dire que non. Et à l'Enfer ?

DON JUAN – Eh !

SGANARELLE – Tout de même[2]. Et au Diable, s'il vous plaît ?

DON JUAN – Oui, oui.

70 SGANARELLE – Aussi peu. Ne croyez-vous point l'autre vie ?

Notes

1. **disputer contre vous** : discuter avec vous.

2. **Tout de même** : pas plus.

DON JUAN – Ah ! ah ! ah !

SGANARELLE – Voilà un homme que j'aurai bien de la peine à convertir. Et dites-moi un peu, [le Moine bourru[1], qu'en croyez-vous ? eh !

75 DON JUAN – La peste soit du fat[2] !

SGANARELLE – Et voilà ce que je ne puis souffrir ; car il n'y a rien de plus vrai que le Moine bourru, et je me ferais pendre pour celui-là. Mais] encore faut-il croire quelque chose [dans le monde]. Qu'est-ce donc que vous croyez ?

80 DON JUAN – Ce que je crois ?

SGANARELLE – Oui.

DON JUAN – Je crois que deux et deux sont quatre, Sganarelle, et que quatre et quatre sont huit[3].

SGANARELLE – La belle croyance [et les beaux articles de foi]
85 que voici ! Votre religion, à ce que je vois, est donc l'arithmétique ? Il faut avouer qu'il se met d'étranges folies dans la tête des hommes, et que, pour avoir bien étudié, on en est bien moins sage le plus souvent. Pour moi, Monsieur, je n'ai point étudié comme vous, Dieu merci, et personne ne sau-
90 rait se vanter de m'avoir jamais rien appris ; mais, avec mon petit sens[4], mon petit jugement, je vois les choses mieux que tous les livres, et je comprends fort bien que ce monde que nous voyons n'est pas un champignon qui soit venu tout seul en une nuit. Je voudrais bien vous demander qui a fait ces
95 arbres-là, ces rochers, cette terre, et ce ciel que voilà là-haut, et si tout cela s'est bâti de lui-même. Vous voilà vous, par exemple, vous êtes là : est-ce que vous vous êtes fait tout seul

Notes

1. **le Moine bourru** : fantôme qui apparaissait dans la période précédant Noël et persécutait ceux qu'il rencontrait.
2. **La peste soit du fat** : que la peste emporte ce prétentieux.
3. **Je crois que [...] huit** : Tallemant des Réaux rapporte qu'une heure avant sa mort le prince de Nassau fit cette réponse à un théologien protestant.
4. **sens** : bon sens.

et n'a-t-il pas fallu que votre père ait engrossé votre mère pour vous faire ? Pouvez-vous voir toutes les inventions dont
100 la machine[1] de l'homme est composée sans admirer de quelle façon cela est agencé l'un dans l'autre ? ces nerfs, ces os, ces veines, ces artères, ces... ce poumon, ce cœur, ce foie, et tous ces autres ingrédients qui sont là, et qui... Ah ! dame, interrompez-moi donc, si vous voulez. Je ne saurais disputer,
105 si l'on ne m'interrompt. Vous vous taisez exprès, et me laissez parler par belle malice.

DON JUAN – J'attends que ton raisonnement soit fini.

SGANARELLE – Mon raisonnement est qu'il y a quelque chose d'admirable dans l'homme, quoi que vous puissiez dire, que
110 tous les savants ne sauraient expliquer. Cela n'est-il pas merveilleux que me voilà ici, et que j'aie quelque chose dans la tête qui pense cent choses différentes en un moment, et fait de mon corps tout ce qu'elle veut ? Je veux frapper des mains, hausser le bras, lever les yeux au ciel, baisser la tête,
115 remuer les pieds, aller à droit, à gauche, en avant, en arrière, tourner...

Il se laisse tomber en tournant.

DON JUAN – Bon ! voilà ton raisonnement qui a le nez cassé.

SGANARELLE – Morbleu[2] ! je suis bien sot de m'amuser[3] à rai-
120 sonner avec vous. Croyez ce que vous voudrez : il m'importe bien que vous soyez damné !

DON JUAN – Mais, tout en raisonnant, je crois que nous sommes égarés. Appelle un peu cet homme que voilà là-bas, pour lui demander le chemin.

125 SGANARELLE – Holà, ho, l'homme ! ho, mon compère ! ho, l'ami ! un petit mot, s'il vous plaît.

Notes

1. **la machine** : l'organisme.
2. **Morbleu** : déformation argotique de « par la mort de Dieu ».
3. **m'amuser** : me laisser aller à.

La question de l'irréligion de Don Juan

Lecture analytique de l'extrait (p. 57, l. 63, à p. 59, l. 126)

L'organisation du dialogue

1. De quelle occasion Sganarelle profite-t-il pour réintroduire la question des convictions de Don Juan ?

2. Étudiez l'organisation du dialogue : qui a l'initiative ? comment les répliques s'enchaînent-elles ? que révèle le déroulement de ce dialogue du rapport de force entre les deux personnages ? est-il conforme à leur situation hiérarchique ?

La foi de Sganarelle

3. Faites un relevé précis des différentes croyances de Sganarelle. Que faut-il penser de l'ordre dans lequel il les présente ?

4. Relevez les preuves de l'existence de Dieu exposées par Sganarelle dans sa tirade (l. 84 à 116), puis évaluez leur pertinence.

La dérobade de Don Juan

Libertin

« Il signifie aussi, Licencieux, dans les choses de la Religion, soit en faisant profession de ne pas croire ce qu'il faut croire, soit en condamnant les coutumes pieuses, ou en n'observant pas les commandements de Dieu, de l'Église, de ses supérieurs » (*Dictionnaire de l'Académie française*, 1694).

5. Quels procédés Don Juan utilise-t-il pour éviter de répondre à Sganarelle ? Analysez la nature de ses répliques. Qu'oppose-t-il aux déclarations de son valet ? S'agit-il d'une argumentation ?

6) Quel est l'effet oratoire de la reprise de la question de Sganarelle et de l'apostrophe (l. 80 à 83) ? Sur quel ton l'acteur peut-il prononcer ces deux répliques ?

7) Quelles interprétations peut-on faire de la réponse de Don Juan à Sganarelle aux lignes 82-83 et de son commentaire à la ligne 118 ? Quelles interprétations en fait Sganarelle ?

L'ambiguïté de l'échange

8) Quels sont les différents types de procédés comiques employés dans cette scène ?

9) Pourquoi le spectateur ne peut-il pas adhérer complètement à l'argumentation de Sganarelle au début de la scène, puis dans ce passage ? Qu'en résulte-t-il ?

Discussion gratuite ou avancée de l'action ?

La parole au théâtre

Sur scène, la parole est une action. Elle révèle des rapports de force. Il y a toujours un enjeu au discours : extorquer un aveu, interdire ou obtenir quelque chose (une preuve, une union...). Le dialogue s'adresse aussi au spectateur, qui doit pouvoir en déduire tous les éléments nécessaires à la compréhension des personnages et de l'action. Il est, enfin, le seul accès, pour ce dernier, à l'intériorité des personnages.

10) En quoi ce dialogue prépare-t-il la scène suivante ? En quoi met-il en place les péripéties des actes suivants et la justification du dénouement ?

SCÈNE 2

DON JUAN, SGANARELLE, UN PAUVRE

1 SGANARELLE – Enseignez-nous un peu le chemin qui mène à la ville.

LE PAUVRE – Vous n'avez qu'à suivre cette route, Messieurs, et détourner à main droite quand vous serez au bout de la
5 forêt. Mais je vous donne avis que vous devez vous tenir sur vos gardes, et que, depuis quelque temps, il y a des voleurs ici autour.

DON JUAN – Je te suis bien obligé, mon ami, et je te rends grâce de tout mon cœur.

10 LE PAUVRE – Si vous vouliez, Monsieur, me secourir de quelque aumône ?

DON JUAN – Ah ! ah ! ton avis est intéressé, à ce que je vois.

LE PAUVRE – Je suis un pauvre homme, Monsieur, retiré tout seul dans ce bois depuis dix ans, et je ne manquerai pas de
15 prier le Ciel qu'il vous donne toute sorte de biens.

DON JUAN – Eh ! prie-le qu'il te donne un habit, sans te mettre en peine des affaires des autres.

SGANARELLE – Vous ne connaissez pas Monsieur, bonhomme : il ne croit qu'en deux et deux sont quatre et en quatre et
20 quatre sont huit.

DON JUAN – Quelle est ton occupation parmi ces arbres ?

LE PAUVRE – De prier le Ciel tout le jour pour la prospérité des gens de bien[1] qui me donnent quelque chose.

DON JUAN – Il ne se peut donc pas que tu ne sois bien à ton
25 aise ?

LE PAUVRE – Hélas ! Monsieur, je suis dans la plus grande nécessité[2] du monde.

Notes

1. **gens de bien :** personnes généreuses. 2. **nécessité :** misère.

« Ah ! ah ! Je m'en vais te donner un louis d'or tout à l'heure, pourvu que tu veuilles jurer. »

DON JUAN – Tu te moques : un homme qui prie le Ciel tout le jour ne peut pas manquer d'être bien dans ses affaires.

30 LE PAUVRE – Je vous assure, Monsieur, que le plus souvent je n'ai pas un morceau de pain à mettre sous les dents.

DON JUAN – [Voilà qui est étrange, et tu es bien mal reconnu de tes soins[1]. Ah! ah! je m'en vais te donner un louis d'or tout à l'heure, pourvu que tu veuilles jurer[2].

35 LE PAUVRE – Ah! Monsieur, voudriez-vous que je commisse un tel péché?

DON JUAN – Tu n'as qu'à voir si tu veux gagner un louis d'or ou non. En voici un que je te donne, si tu jures. Tiens : il faut jurer.

40 LE PAUVRE – Monsieur!

DON JUAN – À moins de cela, tu ne l'auras pas.

SGANARELLE – Va, va, jure un peu, il n'y a pas de mal.

DON JUAN – Prends, le voilà; prends, te dis-je, mais jure donc.

LE PAUVRE – Non, Monsieur, j'aime mieux mourir de faim.

45 DON JUAN – Va, va,] je te le donne pour l'amour de l'humanité. Mais que vois-je là? Un homme attaqué par trois autres? La partie est trop inégale, et je ne dois pas souffrir cette lâcheté.

Il court au lieu du combat.

Notes

1. **reconnu de tes soins** : récompensé de tes services.

2. **jurer** : insulter le nom de Dieu.

SCÈNE 3

DON JUAN, DON CARLOS, SGANARELLE

1 SGANARELLE – Mon maître est un vrai enragé d'aller se présenter à un péril qui ne le cherche pas ; mais, ma foi ! le secours a servi, et les deux ont fait fuir les trois.

DON CARLOS, *l'épée à la main.* – On voit, par la fuite de ces 5 voleurs, de quel secours est votre bras. Souffrez, Monsieur, que je vous rende grâce d'une action si généreuse, et que…

DON JUAN, *revenant l'épée à la main.* – Je n'ai rien fait, Monsieur, que vous n'eussiez fait en ma place. Notre propre honneur est intéressé[1] dans de pareilles aventures[2], et l'action de 10 ces coquins était si lâche, que c'eût été y prendre part que de ne s'y pas opposer. Mais par quelle rencontre[3] vous êtes-vous trouvé entre leurs mains ?

DON CARLOS – Je m'étais par hasard égaré d'un frère et de tous ceux de notre suite ; et comme je cherchais à les rejoindre, 15 j'ai fait rencontre de ces voleurs, qui d'abord ont tué mon cheval, et qui, sans votre valeur[4], en auraient fait autant de moi.

DON JUAN – Votre dessein est-il d'aller du côté de la ville ?

DON CARLOS – Oui, mais sans y vouloir entrer ; et nous nous 20 voyons obligés, mon frère et moi, à tenir la campagne[5] pour une de ces fâcheuses affaires qui réduisent les gentilshommes à se sacrifier, eux et leur famille, à la sévérité[6] de leur honneur, puisque enfin le plus doux succès en est toujours funeste, et que, si l'on ne quitte pas la vie, on est 25 contraint de quitter le Royaume ; et c'est en quoi je trouve

Notes

1. **intéressé** : concerné.
2. **aventures** : situations.
3. **quelle rencontre** : quel hasard.
4. **valeur** : courage.
5. **à tenir la campagne** : à rester mobilisés.
6. **à la sévérité** : aux exigences.

la condition d'un gentilhomme malheureuse, de ne pouvoir point s'assurer[1] sur toute la prudence et toute l'honnêteté de sa conduite, d'être asservi par les lois de l'honneur au dérèglement de la conduite d'autrui, et de voir sa vie, son
30 repos et ses biens dépendre de la fantaisie du premier téméraire qui s'avisera de lui faire une de ces injures pour qui[2] un honnête homme[3] doit périr.

DON JUAN – On a cet avantage qu'on fait courir le même risque et passer mal aussi le temps à ceux qui prennent fantai-
35 sie de nous venir faire une offense de gaieté de cœur. Mais ne serait-ce point une indiscrétion que de vous demander quelle peut être votre affaire ?

DON CARLOS – La chose en est aux termes[4] de n'en plus faire de secret, et lorsque l'injure a une fois éclaté, notre honneur
40 ne va point à vouloir[5] cacher notre honte, mais à faire éclater notre vengeance, et à publier[6] même le dessein que nous en avons. Ainsi, Monsieur, je ne feindrai point de vous dire[7] que l'offense que nous cherchons à venger est une sœur séduite et enlevée d'un couvent, et que l'auteur de cette offense est un
45 Don Juan Tenorio, fils de Don Louis Tenorio. Nous le cherchons depuis quelques jours, et nous l'avons suivi ce matin, sur le rapport d'un valet qui nous a dit qu'il sortait à cheval, accompagné de quatre ou cinq, et qu'il avait pris le long de cette côte ; mais tous nos soins ont été inutiles, et nous
50 n'avons pu découvrir ce qu'il est devenu.

DON JUAN – Le connaissez-vous, Monsieur, ce Don Juan dont vous parlez ?

Notes

1. **s'assurer** : se reposer.
2. **pour qui** : pour laquelle.
3. **honnête homme** : homme d'honneur.
4. **aux termes** : au point.
5. **ne va point à vouloir** : ne cherche pas.
6. **publier** : faire savoir.
7. **je ne feindrai point de vous dire** : je ne chercherai pas à vous cacher.

DON CARLOS – Non, quant à moi. Je ne l'ai jamais vu, et je l'ai seulement ouï dépeindre à mon frère[1] ; mais la renommée
55 n'en dit pas force[2] bien, et c'est un homme dont la vie…

DON JUAN – Arrêtez, Monsieur, s'il vous plaît. Il est un peu de mes amis, et ce serait à moi une espèce de lâcheté, que d'en ouïr dire du mal.

DON CARLOS – Pour l'amour de vous, Monsieur, je n'en di-
60 rai rien du tout, et c'est bien la moindre chose que je vous doive, après m'avoir sauvé la vie, que de me taire devant vous d'une personne[3] que vous connaissez, lorsque je ne puis en parler sans en dire du mal ; mais, quelque ami que vous lui soyez, j'ose espérer que vous n'approuverez pas son action, et
65 ne trouverez pas étrange que nous cherchions d'en prendre la vengeance.

DON JUAN – Au contraire, je vous y veux servir, et vous épargner des soins inutiles. Je suis ami de Don Juan, je ne puis pas m'en empêcher ; mais il n'est pas raisonnable qu'il offense
70 impunément des gentilshommes, et je m'engage à vous faire faire raison par lui[4].

DON CARLOS – Et quelle raison[5] peut-on faire à ces sortes d'injures ?

DON JUAN – Toutes celles que votre honneur peut souhaiter ;
75 et, sans vous donner la peine de chercher Don Juan davantage, je m'oblige à le faire trouver[6] au lieu que vous voudrez, et quand il vous plaira.

DON CARLOS – Cet espoir est bien doux, Monsieur, à des cœurs offensés ; mais, après ce que je vous dois, ce me serait
80 une trop sensible douleur que vous fussiez de la partie.

Notes

1. **ouï dépeindre à mon frère** : entendu décrire par mon frère.
2. **force** : grand.
3. **d'une personne** : à propos d'une personne.
4. **à vous faire faire raison par lui** : à ce qu'il répare l'injure qu'il vous a faite.
5. **raison** : réparation.
6. **je m'oblige à le faire trouver** : je m'engage à ce qu'il se rende.

DON JUAN – Je suis si attaché à Don Juan qu'il ne saurait se battre que je ne me batte aussi ; mais enfin j'en réponds comme de moi-même, et vous n'avez qu'à dire quand vous voulez qu'il paraisse et vous donne satisfaction.

85 DON CARLOS – Que ma destinée est cruelle ! Faut-il que je vous doive la vie, et que Don Juan soit de vos amis ?

SCÈNE 4

DON ALONSE ET TROIS SUIVANTS, DON CARLOS, DON JUAN, SGANARELLE

1 DON ALONSE – Faites boire là mes chevaux, et qu'on les amène après nous[1] ; je veux un peu marcher à pied. Ô Ciel ! que vois-je ici ? Quoi ? mon frère, vous voilà avec notre ennemi mortel ?

5 DON CARLOS – Notre ennemi mortel ?

DON JUAN, *se reculant de trois pas et mettant fièrement la main sur la garde de son épée.* – Oui, je suis Don Juan moi-même, et l'avantage du nombre ne m'obligera pas à vouloir déguiser mon nom.

10 DON ALONSE – Ah ! traître, il faut que tu périsses, et...

DON CARLOS – Ah ! mon frère, arrêtez ! Je lui suis redevable de la vie ; et sans le secours de son bras, j'aurais été tué par des voleurs que j'ai trouvés.

DON ALONSE – Et voulez-vous que cette considération em-
15 pêche notre vengeance ? Tous les services que nous rend une main ennemie ne sont d'aucun mérite pour engager notre âme[2] ; et s'il faut mesurer l'obligation à l'injure, votre reconnaissance, mon frère, est ici ridicule ; et comme l'honneur

Notes

1. **qu'on les amène après nous** : qu'on les mène derrière nous.

2. **ne sont d'aucun mérite pour engager notre âme** : ne nous lient nullement.

est infiniment plus précieux que la vie, c'est ne devoir rien
20 proprement que d'être redevable de la vie à qui nous a ôté l'honneur.

DON CARLOS – Je sais la différence, mon frère, qu'un gentilhomme doit toujours mettre entre l'un et l'autre, et la reconnaissance de l'obligation[1] n'efface point en moi le ressentiment de l'injure[2];
25 mais souffrez que je lui rende ici ce qu'il m'a prêté, que je m'acquitte sur-le-champ de la vie que je lui dois, par un délai de notre vengeance, et lui laisse la liberté de jouir, durant quelques jours, du fruit de son bienfait.

DON ALONSE – Non, non, c'est hasarder notre vengeance[3] que
30 de la reculer et l'occasion de la prendre peut ne plus revenir. Le Ciel nous l'offre ici, c'est à nous d'en profiter. Lorsque l'honneur est blessé mortellement, on doit ne point songer à garder aucunes mesures; et si vous répugnez à prêter votre bras à cette action, vous n'avez qu'à vous retirer et laisser à
35 ma main la gloire d'un tel sacrifice.

DON CARLOS – De grâce, mon frère...

DON ALONSE – Tous ces discours sont superflus : il faut qu'il meure.

DON CARLOS – Arrêtez-vous, dis-je, mon frère. Je ne souffrirai
40 point du tout qu'on attaque ses jours, et je jure le Ciel que je le défendrai ici contre qui que ce soit, et je saurai lui faire un rempart de cette même vie qu'il a sauvée; et pour adresser vos coups[4], il faudra que vous me perciez.

DON ALONSE – Quoi? vous prenez le parti de notre ennemi
45 contre moi, et loin d'être saisi à son aspect des mêmes transports que je sens, vous faites voir pour lui des sentiments pleins de douceur?

Notes

1. **la reconnaissance de l'obligation :** la conscience de la dette.

2. **le ressentiment de l'injure :** la rancune créée par l'injure.

3. **hasarder notre vengeance :** rendre notre vengeance incertaine.

4. **adresser vos coups :** le toucher.

DON CARLOS – Mon frère, montrons de la modération dans une action légitime, et ne vengeons point notre honneur
50 avec cet emportement que vous témoignez. Ayons du cœur dont nous soyons les maîtres, une valeur qui n'ait rien de farouche[1], et qui se porte aux choses par une pure délibération de notre raison, et non point par le mouvement d'une aveugle colère. Je ne veux point, mon frère, demeurer rede-
55 vable à mon ennemi, et je lui ai une obligation dont il faut que je m'acquitte avant toute chose. Notre vengeance, pour être différée, n'en sera pas moins éclatante : au contraire, elle en tirera de l'avantage ; et cette occasion de l'avoir pu prendre la fera paraître plus juste aux yeux de tout le monde.

60 DON ALONSE – Ô l'étrange faiblesse, et l'aveuglement effroyable d'hasarder ainsi les intérêts de son honneur pour la ridicule pensée d'une obligation chimérique !

DON CARLOS – Non, mon frère, ne vous mettez pas en peine. Si je fais une faute, je saurai bien la réparer, et je me charge
65 de tout le soin de notre honneur ; je sais à quoi il nous oblige, et cette suspension d'un jour, que ma reconnaissance lui demande, ne fera qu'augmenter l'ardeur que j'ai de le satisfaire. Don Juan, vous voyez que j'ai soin de vous rendre le bien que j'ai reçu de vous, et vous devez par là juger du reste,
70 croire que je m'acquitte avec même chaleur de ce que je dois, et que je ne serai pas moins exact à vous payer l'injure que le bienfait. Je ne veux point vous obliger ici à expliquer vos sentiments, et je vous donne la liberté de penser à loisir aux résolutions que vous avez à prendre. Vous connaissez
75 assez la grandeur de l'offense que vous nous avez faite, et je vous fais juge vous-même des réparations qu'elle demande. Il est des moyens doux pour nous satisfaire ; il en est de violents et de sanglants ; mais enfin, quelque choix que vous fassiez, vous m'avez donné parole de me faire faire raison par Don

Note

1. **une valeur qui n'ait rien de farouche** : un courage qui n'ait rien de barbare.

80 Juan[1] : songez à me la faire[2], je vous prie, et vous ressouvenez que, hors d'ici, je ne dois plus qu'à mon honneur.

DON JUAN – Je n'ai rien exigé de vous, et vous tiendrai ce que j'ai promis.

DON CARLOS – Allons, mon frère : un moment de douceur ne
85 fait aucune injure à la sévérité de notre devoir.

SCÈNE 5

DON JUAN, SGANARELLE

1 DON JUAN – Holà, hé, Sganarelle!

SGANARELLE – Plaît-il?

DON JUAN – Comment? coquin, tu fuis quand on m'attaque?

SGANARELLE – Pardonnez-moi, Monsieur, je viens seulement
5 d'ici près. Je crois que cet habit est purgatif, et que c'est prendre médecine[3] que de le porter.

DON JUAN – Peste soit l'insolent! Couvre au moins ta poltronnerie d'un voile plus honnête. Sais-tu bien qui est celui à qui j'ai sauvé la vie?

10 SGANARELLE – Moi? Non.

DON JUAN – C'est un frère d'Elvire.

SGANARELLE – Un...

DON JUAN – Il est assez honnête[4] homme, il en a bien usé[5], et j'ai regret d'avoir démêlé avec lui.

15 SGANARELLE – Il vous serait aisé de pacifier toutes choses.

1. **de me faire faire raison par Don Juan** : que Don Juan m'en répondrait.
2. **à me la faire** : à le faire, à vous en acquitter.
3. **médecine** : un médicament.
4. **honnête** : convenable.
5. **il en a bien usé** : il s'est bien conduit.

DON JUAN – Oui ; mais ma passion est usée pour Done Elvire, et l'engagement ne compatit point avec mon humeur[1]. J'aime la liberté en amour, tu le sais, et je ne saurais me résoudre à renfermer mon cœur entre quatre murailles. Je te l'ai dit
20 vingt fois, j'ai une pente naturelle à me laisser aller à tout ce qui m'attire. Mon cœur est à toutes les belles, et c'est à elles à le prendre tour à tour, et à le garder tant qu'elles le pourront. Mais quel est le superbe édifice que je vois entre ces arbres ?

SGANARELLE – Vous ne le savez pas ?

25 DON JUAN – Non, vraiment.

SGANARELLE – Bon ! c'est le tombeau que le Commandeur faisait faire lorsque vous le tuâtes.

DON JUAN – Ah ! tu as raison. Je ne savais pas que c'était de ce côté-ci qu'il était. Tout le monde m'a dit des merveilles de
30 cet ouvrage, aussi bien que de la statue du Commandeur, et j'ai envie de l'aller voir.

SGANARELLE – Monsieur, n'allez point là.

DON JUAN – Pourquoi ?

SGANARELLE – Cela n'est pas civil[2], d'aller voir un homme que
35 vous avez tué.

DON JUAN – Au contraire, c'est une visite dont je lui veux faire civilité, et qu'il doit recevoir de bonne grâce, s'il est galant[3] homme. Allons, entrons dedans.

Le tombeau s'ouvre, où l'on voit un superbe mausolée
40 *et la statue du Commandeur.*

SGANARELLE – Ah ! que cela est beau ! Les belles statues ! le beau marbre ! les beaux piliers ! Ah ! que cela est beau ! Qu'en dites-vous, Monsieur ?

Notes

1. **l'engagement ne compatit point avec mon humeur** : le mariage ne convient pas à mon état d'esprit.
2. **civil** : bien élevé, poli.
3. **galant** : de bonne éducation.

DON JUAN – Qu'on ne peut voir aller plus loin l'ambition
45 d'un homme mort ; et ce que je trouve admirable, c'est qu'un homme qui s'est passé[1], durant sa vie, d'une assez simple demeure, en veuille avoir une si magnifique pour quand il n'en a plus que faire.

SGANARELLE – Voici la statue du Commandeur.

50 DON JUAN – Parbleu ! le voilà bon[2], avec son habit d'empereur romain !

SGANARELLE – Ma foi, Monsieur, voilà qui est bien fait. Il semble qu'il est en vie et qu'il s'en va parler. Il jette des regards sur nous qui me feraient peur, si j'étais tout seul, et je
55 pense qu'il ne prend pas plaisir de nous voir.

DON JUAN – Il aurait tort, et ce serait mal recevoir l'honneur que je lui fais. Demande-lui s'il veut venir souper[3] avec moi.

SGANARELLE – C'est une chose dont il n'a pas besoin, je crois.

DON JUAN – Demande-lui, te dis-je.

60 SGANARELLE – Vous moquez-vous ? Ce serait être fou que d'aller parler à une statue.

DON JUAN – Fais ce que je te dis.

SGANARELLE – Quelle bizarrerie ! Seigneur Commandeur... je ris de ma sottise, mais c'est mon maître qui me la fait
65 faire. Seigneur Commandeur, mon maître Don Juan vous demande si vous voulez lui faire l'honneur de venir souper avec lui. *(La statue baisse la tête.)* Ha !

DON JUAN – Qu'est-ce ? qu'as-tu ? Dis donc, veux-tu parler ?

SGANARELLE *fait le même signe que lui a fait la statue et baisse la*
70 *tête.* – La statue...

DON JUAN – Eh bien, que veux-tu dire, traître ?

SGANARELLE – Je vous dis que la statue...

Notes

1. **passé** : contenté.
2. **bon** : beau.
3. **souper** : dîner.

DON JUAN – Eh bien ! la statue ? Je t'assomme, si tu ne parles.

SGANARELLE – La statue m'a fait signe.

75 DON JUAN – La peste le coquin !

SGANARELLE – Elle m'a fait signe, vous dis-je : il n'est rien de plus vrai. Allez-vous-en lui parler vous-même, pour voir. Peut-être…

DON JUAN – Viens, maraud[1], viens, je te veux bien faire toucher au doigt ta poltronnerie. Prends garde. Le seigneur Commandeur voudrait-il venir souper avec moi ?

La statue baisse encore la tête.

SGANARELLE – Je ne voudrais pas en tenir dix pistoles[2]. Eh bien ! Monsieur ?

85 DON JUAN – Allons, sortons d'ici.

SGANARELLE – Voilà de mes esprits forts[3], qui ne veulent rien croire.

Notes

1. **maraud** : mendiant, filou (terme méprisant qualifiant un homme du peuple).

2. **en tenir dix pistoles** : parier une grosse somme là-dessus.

3. **esprits forts** : personnes qui croient savoir mieux que les autres, qui n'adoptent pas les croyances communes.

Acte IV

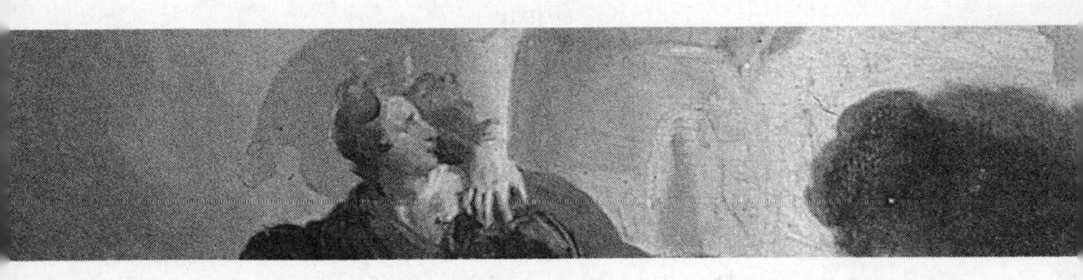

SCÈNE 1

DON JUAN, SGANARELLE

DON JUAN – Quoi qu'il en soit, laissons cela : c'est une bagatelle, et nous pouvons avoir été trompés par un faux jour, ou surpris de quelque vapeur[1] qui nous ait troublé la vue.

SGANARELLE – Eh! Monsieur, ne cherchez point à démentir ce que nous avons vu des yeux que voilà. Il n'est rien de plus véritable que ce signe de tête; et je ne doute point que le Ciel, scandalisé de votre vie, n'ait produit ce miracle pour vous convaincre et pour vous retirer de…

DON JUAN – Écoute. Si tu m'importunes davantage de tes sottes moralités[2], si tu me dis encore le moindre mot là-dessus, je vais appeler quelqu'un, demander un nerf de bœuf, te faire tenir par trois ou quatre, et te rouer de mille coups. M'entends-tu bien ?

SGANARELLE – Fort bien, Monsieur, le mieux du monde. Vous vous expliquez clairement; c'est ce qu'il y a de bon en vous, que vous n'allez point chercher de détours : vous dites les choses avec une netteté admirable.

Notes

1. **vapeur** : brume, brouillard.

2. **moralités** : leçons de morale.

DON JUAN – Allons, qu'on me fasse souper le plus tôt que l'on pourra. Une chaise, petit garçon.

SCÈNE 2

DON JUAN, LA VIOLETTE, SGANARELLE

1 LA VIOLETTE – Monsieur, voilà votre marchand, M. Dimanche, qui demande à vous parler.

SGANARELLE – Bon ! voilà ce qu'il nous faut, qu'un compliment de créancier ! De quoi s'avise-t-il de nous venir demander de
5 l'argent, et que ne lui disais-tu que Monsieur n'y est pas ?

LA VIOLETTE – Il y a trois quarts d'heure que je lui dis ; mais il ne veut pas le croire, et s'est assis là-dedans pour attendre.

SGANARELLE – Qu'il attende tant qu'il voudra.

DON JUAN – Non, au contraire, faites-le entrer. C'est une fort
10 mauvaise politique que de se faire celer aux[1] créanciers. Il est bon de les payer de quelque chose, et j'ai le secret de les renvoyer satisfaits sans leur donner un double[2].

SCÈNE 3

DON JUAN, M. DIMANCHE, SGANARELLE, SUITE

1 DON JUAN, *faisant de grandes civilités.* – Ah ! Monsieur Dimanche, approchez. Que je suis ravi de vous voir, et que je veux de mal à mes gens de ne vous pas faire entrer d'abord[3] ! J'avais donné ordre qu'on ne me fît parler personne[4], mais cet

Notes

1. **se faire celer aux** : fuir les.
2. **double** : pièce de monnaie de peu de valeur.
3. **d'abord** : tout de suite.
4. **qu'on ne me fît parler personne** : qu'on ne fasse entrer personne pour me parler.

5 ordre n'est pas pour vous, et vous êtes en droit de ne trouver jamais de porte fermée chez moi.

M. DIMANCHE – Monsieur, je vous suis fort obligé.

DON JUAN, *parlant à ses laquais*. – Parbleu ! coquins, je vous apprendrai à laisser Monsieur Dimanche dans une antichambre,
10 et je vous ferai connaître les gens[1].

M. DIMANCHE – Monsieur, cela n'est rien.

DON JUAN – Comment ? vous dire que je n'y suis pas, à Monsieur Dimanche, au meilleur de mes amis !

M. DIMANCHE – Monsieur, je suis votre serviteur. J'étais
15 venu...

DON JUAN – Allons, vite, un siège pour Monsieur Dimanche.

M. DIMANCHE – Monsieur, je suis bien comme cela.

DON JUAN – Point, point, je veux que vous soyez assis contre moi[2].

20 M. DIMANCHE – Cela n'est point nécessaire.

DON JUAN – Ôtez ce pliant[3], et apportez un fauteuil.

M. DIMANCHE – Monsieur, vous vous moquez, et...

DON JUAN – Non, non, je sais ce que je vous dois, et je ne veux point qu'on mette de différence entre nous deux.

25 M. DIMANCHE – Monsieur...

DON JUAN – Allons, asseyez-vous.

M. DIMANCHE – Il n'est pas besoin, Monsieur, et je n'ai qu'un mot à vous dire. J'étais...

Notes

1. connaître les gens : savoir à qui vous avez affaire.
2. contre moi : près de moi.
3. Ôtez ce pliant : le protocole voulait que la nature du siège correspondît au rang social. Don Juan fait asseoir M. Dimanche sur un siège réservé aux plus hauts aristocrates.

DON JUAN – Mettez-vous là, vous dis-je.

30 M. DIMANCHE – Non, Monsieur, je suis bien. Je viens pour…

DON JUAN – Non, je ne vous écoute point si vous n'êtes assis.

M. DIMANCHE – Monsieur, je fais ce que vous voulez. Je…

DON JUAN – Parbleu ! Monsieur Dimanche, vous vous portez bien.

35 M. DIMANCHE – Oui, Monsieur, pour vous rendre service. Je suis venu…

DON JUAN – Vous avez un fonds de santé admirable, des lèvres fraîches, un teint vermeil et des yeux vifs.

M. DIMANCHE – Je voudrais bien…

40 DON JUAN – Comment se porte Madame Dimanche, votre épouse ?

M. DIMANCHE – Fort bien, Monsieur, Dieu merci.

DON JUAN – C'est une brave femme.

M. DIMANCHE – Elle est votre servante, Monsieur. Je venais…

45 DON JUAN – Et votre petite fille Claudine, comment se porte-t-elle ?

M. DIMANCHE – Le mieux du monde.

DON JUAN – La jolie petite fille que c'est ! je l'aime de tout mon cœur.

50 M. DIMANCHE – C'est trop d'honneur que vous lui faites, Monsieur. Je vous…

DON JUAN – Et le petit Colin, fait-il toujours bien du bruit avec son tambour ?

M. DIMANCHE – Toujours de même, Monsieur. Je…

55 DON JUAN – Et votre petit chien Brusquet ? gronde-t-il toujours aussi fort, et mord-il toujours bien aux jambes les gens qui vont chez vous ?

M. DIMANCHE – Plus que jamais, Monsieur, et nous ne saurions en chevir[1].

60 DON JUAN – Ne vous étonnez pas si je m'informe des nouvelles de toute la famille, car j'y prends beaucoup d'intérêt.

M. DIMANCHE – Nous vous sommes, Monsieur, infiniment obligés. Je…

DON JUAN, *lui tendant la main.* – Touchez donc là[2], Monsieur

65 Dimanche. Êtes-vous bien de mes amis ?

M. DIMANCHE – Monsieur, je suis votre serviteur.

DON JUAN – Parbleu ! je suis à vous de tout mon cœur.

M. DIMANCHE – Vous m'honorez trop. Je…

DON JUAN – Il n'y a rien que je ne fisse pour vous.

70 M. DIMANCHE – Monsieur, vous avez trop de bonté pour moi.

DON JUAN – Et cela sans intérêt, je vous prie de le croire.

M. DIMANCHE – Je n'ai point mérité cette grâce, assurément. Mais, Monsieur…

DON JUAN – Oh çà, Monsieur Dimanche, sans façon, voulez-

75 vous souper avec moi ?

M. DIMANCHE – Non, Monsieur, il faut que je m'en retourne tout à l'heure[3]. Je…

DON JUAN, *se levant.* – Allons, vite un flambeau pour conduire Monsieur Dimanche, et que quatre ou cinq de mes gens

80 prennent des mousquetons[4] pour l'escorter.

M. DIMANCHE, *se levant de même.* – Monsieur, il n'est pas nécessaire, et je m'en irai bien tout seul. Mais…

Sganarelle ôte les sièges promptement.

Notes

1. **nous ne saurions en chevir** : nous ne pouvons en venir à bout.
2. **Touchez donc là** : serrez-moi la main. Ce geste, beaucoup plus solennel qu'aujourd'hui, confirme un accord, un engagement.
3. **tout à l'heure** : tout de suite.
4. **mousquetons** : armes à feu.

DON JUAN – Comment ! je veux qu'on vous escorte, et je
85 m'intéresse trop à votre personne ; je suis votre serviteur, et de plus votre débiteur.

M. DIMANCHE – Ah ! Monsieur...

DON JUAN – C'est une chose que je ne cache pas, et je le dis à tout le monde.

90 M. DIMANCHE – Si...

DON JUAN – Voulez-vous que je vous reconduise ?

M. DIMANCHE – Ah ! Monsieur, vous vous moquez. Monsieur...

DON JUAN – Embrassez-moi[1] donc, s'il vous plaît. Je vous prie
95 encore une fois d'être persuadé que je suis tout à vous, et qu'il n'y a rien au monde que je ne fisse pour votre service. *(Il sort.)*

SGANARELLE – Il faut avouer que vous avez en Monsieur un homme qui vous aime bien.

100 M. DIMANCHE – Il est vrai ; il me fait tant de civilités et tant de compliments, que je ne saurais jamais lui demander de l'argent.

SGANARELLE – Je vous assure que toute sa maison[2] périrait pour vous ; et je voudrais qu'il vous arrivât quelque chose, que
105 quelqu'un s'avisât de vous donner des coups de bâton : vous verriez de quelle manière...

M. DIMANCHE – Je le crois ; mais, Sganarelle, je vous prie de lui dire un petit mot de mon argent.

SGANARELLE – Oh ! ne vous mettez pas en peine, il vous paiera
110 le mieux du monde.

Notes

1. **Embrassez-moi** : venez dans mes bras. Ce geste est normalement réservé à un égal.

2. **sa maison** : l'ensemble de ses serviteurs.

M. DIMANCHE – Mais vous, Sganarelle, vous me devez quelque chose en votre particulier[1].

SGANARELLE – Fi ! ne parlez pas de cela.

M. DIMANCHE – Comment ! Je...

115 SGANARELLE – Ne sais-je pas bien que je vous dois ?

M. DIMANCHE – Oui, mais...

SGANARELLE – Allons, Monsieur Dimanche, je vais vous éclairer.

M. DIMANCHE – Mais mon argent...

120 SGANARELLE, *prenant M. Dimanche par le bras.* – Vous moquez-vous ?

M. DIMANCHE – Je veux...

SGANARELLE, *le tirant.* – Eh !

M. DIMANCHE – J'entends...

125 SGANARELLE, *le poussant.* – Bagatelles !

M. DIMANCHE – Mais...

SGANARELLE, *le poussant.* – Fi !

M. DIMANCHE – Je...

SGANARELLE, *le poussant tout à fait hors du théâtre.* – Fi ! vous
130 dis-je.

SCÈNE 4

DON LOUIS, DON JUAN, LA VIOLETTE, SGANARELLE

1 LA VIOLETTE – Monsieur, voilà Monsieur votre père.

DON JUAN – Ah ! me voici bien ! il me fallait cette visite pour me faire enrager.

Note

1. **en votre particulier** : en ce qui vous concerne, de votre côté.

DON LOUIS – Je vois bien que je vous embarrasse, et que
5 vous vous passeriez fort aisément de ma venue. À dire vrai, nous nous incommodons étrangement[1] l'un et l'autre ; et si vous êtes las de me voir, je suis bien las aussi de vos déportements[2]. Hélas ! que nous savons peu ce que nous faisons quand nous ne laissons pas au Ciel le soin des choses qu'il
10 nous faut, quand nous voulons être plus avisés que lui, et que nous venons à l'importuner par nos souhaits aveugles et nos demandes inconsidérées ! J'ai souhaité un fils avec des ardeurs nonpareilles[3] ; je l'ai demandé sans relâche avec des transports incroyables[4] ; et ce fils, que j'obtiens en fatiguant le Ciel de
15 vœux, est le chagrin et le supplice de cette vie même dont je croyais qu'il devait être la joie et la consolation. De quel œil, à votre avis, pensez-vous que je puisse voir cet amas d'actions indignes, dont on a peine, aux yeux du monde, d'adoucir le mauvais visage[5], cette suite continuelle de mé-
20 chantes[6] affaires, qui nous réduisent, à toutes heures, à lasser les bontés du Souverain, et qui ont épuisé auprès de lui le mérite de mes services[7] et le crédit de mes amis ? Ah ! quelle bassesse est la vôtre ! Ne rougissez-vous point de mériter si peu votre naissance ? Êtes-vous en droit, dites-moi, d'en tirer
25 quelque vanité ? Et qu'avez-vous fait dans le monde pour être gentilhomme ? Croyez-vous qu'il suffise d'en porter le nom et les armes[8], et que ce nous soit une gloire d'être sorti d'un sang noble lorsque nous vivons en infâmes[9] ? Non, non, la naissance n'est rien où la vertu n'est pas. Aussi nous n'avons
30 part à la gloire de nos ancêtres qu'autant que nous nous effor-

Notes

1. **étrangement** : de façon étonnante.
2. **déportements** : méfaits.
3. **des ardeurs nonpareilles** : un courage exceptionnel.
4. **avec des transports incroyables** : intensément.
5. **adoucir le mauvais visage** : atténuer le mauvais effet.
6. **méchantes** : mauvaises.
7. **le mérite de mes services** : le crédit obtenu par mes services.
8. **armes** : armoiries.
9. **infâmes** : indignes.

çons de leur ressembler; et cet éclat de leurs actions qu'ils répandent sur nous, nous impose un engagement de leur faire le même honneur, de suivre les pas qu'ils nous tracent[1], et de ne point dégénérer de leurs vertus[2], si nous voulons être
35 estimés leurs véritables descendants. Ainsi vous descendez en vain des aïeux dont vous êtes né : ils vous désavouent pour leur sang[3], et tout ce qu'ils ont fait d'illustre ne vous donne aucun avantage; au contraire, l'éclat n'en rejaillit sur vous qu'à votre déshonneur, et leur gloire est un flambeau qui
40 éclaire aux yeux d'un chacun la honte de vos actions. Apprenez enfin qu'un gentilhomme qui vit mal est un monstre dans la nature, que la vertu est le premier titre de noblesse, que je regarde bien moins au nom qu'on signe qu'aux actions qu'on fait, et que je ferais plus d'état[4] du fils d'un crocheteur[5]
45 qui serait honnête homme, que du fils d'un monarque qui vivrait comme vous.

DON JUAN – Monsieur, si vous étiez assis, vous en seriez mieux pour parler.

DON LOUIS – Non, insolent, je ne veux point m'asseoir, ni
50 parler davantage, et je vois bien que toutes mes paroles ne font rien sur ton âme. Mais sache, fils indigne, que la tendresse paternelle est poussée à bout par tes actions, que je saurai, plus tôt que tu ne penses, mettre une borne à tes dérèglements, prévenir sur toi[6] le courroux du Ciel, et laver par
55 ta punition la honte de t'avoir fait naître. *(Il sort.)*

Notes

1. **les pas qu'il nous tracent** : le chemin qu'ils nous ouvrent.
2. **dégénérer de leurs vertus** : être moins courageux (vertueux ?) qu'eux.
3. **ils vous désavouent pour leur sang** : ils vous renient.
4. **d'état** : de cas.
5. **crocheteur** : porteur utilisant un crochet pour tenir les charges.
6. **prévenir sur toi** : devancer.

SCÈNE 5

DON JUAN, SGANARELLE

1 DON JUAN – Eh ! mourez le plus tôt que vous pourrez, c'est le mieux que vous puissiez faire. Il faut que chacun ait son tour, et j'enrage de voir des pères qui vivent autant que leurs fils. *(Il se met dans son fauteuil.)*

5 SGANARELLE – Ah ! Monsieur, vous avez tort.

DON JUAN – J'ai tort ?

SGANARELLE – Monsieur…

DON JUAN *se lève de son siège.* – J'ai tort ?

SGANARELLE – Oui, Monsieur, vous avez tort d'avoir souffert 10 ce qu'il vous a dit, et vous le deviez mettre dehors par les épaules. A-t-on jamais rien vu de plus impertinent[1] ? Un père venir faire des remontrances à son fils, et lui dire de corriger ses actions, de se ressouvenir de sa naissance, de mener une vie d'honnête homme, et cent autres sottises de pareille 15 nature ! Cela se peut-il souffrir à un homme comme vous[2], qui savez comme il faut vivre ? J'admire votre patience ; et si j'avais été en votre place, je l'aurais envoyé promener. *(À part.)* Ô complaisance maudite ! à quoi me réduis-tu ?

DON JUAN – Me fera-t-on souper bientôt ?

SCÈNE 6

DON JUAN, DONE ELVIRE, RAGOTIN, SGANARELLE

1 RAGOTIN – Monsieur, voici une dame voilée qui vient vous parler.

Notes

1. **impertinent** : déplacé.

2. **cela se peut-il souffrir à un homme comme vous** : un homme comme vous peut-il supporter cela.

DON JUAN – Que pourrait-ce être ?

SGANARELLE – Il faut voir.

5 DONE ELVIRE – Ne soyez point surpris, Don Juan, de me voir à cette heure et dans cet équipage[1]. C'est un motif pressant qui m'oblige à cette visite, et ce que j'ai à vous dire ne veut point du tout de retardement. Je ne viens point ici pleine de ce courroux que j'ai tantôt fait éclater, et vous me voyez bien 10 changée de ce que j'étais ce matin. Ce n'est plus cette Done Elvire qui faisait des vœux contre vous, et dont l'âme irritée ne jetait que menaces et ne respirait que vengeance. Le Ciel a banni de mon âme toutes ces indignes ardeurs[2] que je sentais pour vous, tous ces transports tumultueux d'un attachement 15 criminel, tous ces honteux emportements d'un amour terrestre et grossier ; et il n'a laissé dans mon cœur pour vous qu'une flamme épurée de tout le commerce des sens[3], une tendresse toute sainte, un amour détaché de tout, qui n'agit point pour soi, et ne se met en peine que de votre intérêt.

20 DON JUAN, *à Sganarelle.* – Tu pleures, je pense.

SGANARELLE – Pardonnez-moi.

DONE ELVIRE – C'est ce parfait et pur amour qui me conduit ici pour votre bien, pour vous faire part d'un avis du Ciel, et tâcher de vous retirer du précipice où vous courez. Oui, Don 25 Juan, je sais tous les dérèglements[4] de votre vie, et ce même Ciel, qui m'a touché le cœur et fait jeter les yeux sur les égarements de ma conduite, m'a inspiré de vous venir trouver, et de vous dire, de sa part, que vos offenses ont épuisé sa miséricorde, que sa colère redoutable est prête de tomber sur 30 vous, qu'il est en vous[5] de l'éviter par un prompt repentir, et

Notes

1. **cet équipage :** cette tenue.
2. **ces indignes ardeurs :** cette passion méprisable.
3. **une flamme épurée de tout le commerce des sens :** un amour débarrassé de sensualité.
4. **dérèglements :** mauvaises actions.
5. **il est en vous :** il ne tient qu'à vous.

que peut-être vous n'avez pas encore un jour à vous pouvoir soustraire au plus grand de tous les malheurs. Pour moi, je ne tiens plus à vous par aucun attachement du monde[1]; je suis revenue, grâces au Ciel, de toutes mes folles pensées;
35 ma retraite est résolue[2], et je ne demande qu'assez de vie pour pouvoir expier la faute que j'ai faite, et mériter, par une austère pénitence, le pardon de l'aveuglement où m'ont plongée les transports d'une passion condamnable. Mais, dans cette retraite, j'aurais une douleur extrême qu'une personne
40 que j'ai chérie tendrement devînt un exemple funeste de la justice du Ciel; et ce me sera une joie incroyable si je puis vous porter[3] à détourner de dessus votre tête l'épouvantable coup qui vous menace. De grâce, Don Juan, accordez-moi, pour dernière faveur, cette douce consolation; ne me refusez
45 point votre salut, que je vous demande avec larmes; et si vous n'êtes point touché de votre intérêt, soyez-le au moins de mes prières, et m'épargnez le cruel déplaisir de vous voir condamner à des supplices éternels.

SGANARELLE, *à part.* – Pauvre femme!

50 DONE ELVIRE – Je vous ai aimé avec une tendresse extrême, rien au monde ne m'a été si cher que vous; j'ai oublié mon devoir pour vous, j'ai fait toutes choses pour vous; et toute la récompense que je vous en demande, c'est de corriger votre vie, et de prévenir[4] votre perte. Sauvez-vous, je vous prie, ou
55 pour l'amour de vous, ou pour l'amour de moi. Encore une fois, Don Juan, je vous le demande avec larmes; et si ce n'est assez des larmes d'une personne que vous avez aimée, je vous en conjure par tout ce qui est le plus capable de vous toucher.

SGANARELLE, *à part.* – Cœur de tigre!

Notes

1. **je ne tiens plus à vous par aucun attachement du monde** : je ne vous suis plus attachée pour des raisons propres à la vie terrestre.

2. **ma retraite est résolue** : je suis décidée à me retirer au couvent.

3. **porter** : inciter.

4. **de prévenir** : d'éviter.

60 DONE ELVIRE – Je m'en vais, après ce discours, et voilà tout ce que j'avais à vous dire.

DON JUAN – Madame, il est tard, demeurez ici : on vous y logera le mieux qu'on pourra.

DONE ELVIRE – Non, Don Juan, ne me retenez pas davantage.

65 DON JUAN – Madame, vous me ferez plaisir de demeurer, je vous assure.

DONE ELVIRE – Non, vous dis-je, ne perdons point de temps en discours superflus. Laissez-moi vite aller, ne faites aucune instance pour me conduire[1], songez seulement à profiter de

70 mon avis.

SCÈNE 7

DON JUAN, SGANARELLE, SUITE

1 DON JUAN – Sais-tu bien que j'ai encore senti quelque peu d'émotion pour elle, que j'ai trouvé de l'agrément dans cette nouveauté bizarre, et que son habit négligé, son air languissant et ses larmes ont réveillé en moi quelques petits restes

5 d'un feu éteint ?

SGANARELLE – C'est-à-dire que ses paroles n'ont fait aucun effet sur vous.

DON JUAN – Vite à souper.

SGANARELLE – Fort bien.

10 DON JUAN, *se mettant à table.* – Sganarelle, il faut songer à s'amender[2] pourtant.

SGANARELLE – Oui-da !

Notes

1. **ne faites aucune instance pour me conduire** : n'insistez pas pour me reconduire.

2. **s'amender** : se corriger.

DON JUAN – Oui, ma foi! il faut s'amender; encore vingt ou trente ans de cette vie-ci, et puis nous songerons à nous.

15 SGANARELLE – Oh!

DON JUAN – Qu'en dis-tu?

SGANARELLE – Rien, voilà le souper.

Il prend un morceau d'un des plats qu'on apporte, et le met dans sa bouche.

20 DON JUAN – Il me semble que tu as la joue enflée; qu'est-ce que c'est? Parle donc, qu'as-tu là?

SGANARELLE – Rien.

DON JUAN – Montre un peu. Parbleu! c'est une fluxion[1] qui lui est tombée sur la joue. Vite, une lancette[2] pour percer

25 cela! Le pauvre garçon n'en peut plus, et cet abcès le pourrait étouffer. Attends : voyez comme il était mûr. Ah! coquin que vous êtes!

SGANARELLE – Ma foi! Monsieur, je voulais voir si votre cuisinier n'avait point mis trop de sel ou trop de poivre.

30 DON JUAN – Allons, mets-toi là, et mange. J'ai affaire de toi[3] quand j'aurai soupé. Tu as faim, à ce que je vois.

SGANARELLE *se met à table* – Je le crois bien, Monsieur : je n'ai point mangé depuis ce matin. Tâtez[4] de cela, voilà qui est le meilleur du monde. *(Un laquais ôte les assiettes de Sganarelle*

35 *d'abord qu'il[5] y a dessus à manger.)* Mon assiette, mon assiette! tout doux, s'il vous plaît. Vertubleu[6]! petit compère, que vous êtes habile à donner des assiettes nettes! et vous, petit La Violette, que vous savez présenter à boire à propos!

Pendant qu'un laquais donne à boire à Sganarelle,

40 *l'autre laquais ôte encore son assiette.*

Notes

1. **une fluxion** : un abcès.
2. **une lancette** : un bistouri.
3. **J'ai affaire de toi** : j'aurai besoin de toi.
4. **Tâtez** : goûtez.
5. ***d'abord qu'il*** : dès qu'il.
6. **Vertubleu** : par la vertu de Dieu.

DON JUAN – Qui peut frapper de cette sorte ?

SGANARELLE – Qui diable nous vient troubler dans notre repas ?

DON JUAN – Je veux souper en repos au moins, et qu'on ne laisse entrer personne.

45 SGANARELLE – Laissez-moi faire, je m'y en vais moi-même.

DON JUAN – Qu'est-ce donc ? Qu'y a-t-il ?

SGANARELLE, *baissant la tête comme a fait la statue.* – Le... qui est là !

DON JUAN – Allons voir, et montrons que rien ne me saurait

50 ébranler[1].

SGANARELLE – Ah ! pauvre Sganarelle, où te cacheras-tu ?

SCÈNE 8

DON JUAN, LA STATUE DU COMMANDEUR,
qui vient se mettre à table, SGANARELLE, SUITE

1 DON JUAN, *à ses gens.* – Une chaise et un couvert, vite donc. *(À Sganarelle.)* Allons, mets-toi à table.

SGANARELLE – Monsieur, je n'ai plus faim.

DON JUAN – Mets-toi là, te dis-je. À boire. À la santé du Com-

5 mandeur : je te la porte[2], Sganarelle. Qu'on lui donne du vin.

SGANARELLE – Monsieur, je n'ai pas soif.

DON JUAN – Bois, et chante ta chanson, pour régaler[3] le Commandeur.

SGANARELLE – Je suis enrhumé, Monsieur.

10 DON JUAN – Il n'importe. Allons. Vous autres, venez, accompagnez sa voix.

Notes

1. **ne me saurait ébranler** : ne peut me troubler.

2. **je te la porte** : je lève mon verre.

3. **régaler** : faire honneur, distraire.

LA STATUE – Don Juan, c'est assez. Je vous invite à venir demain souper avec moi. En aurez-vous le courage ?

DON JUAN – Oui, j'irai, accompagné du seul Sganarelle.

15 SGANARELLE – Je vous rends grâce, il est demain jeûne pour moi.

DON JUAN, *à Sganarelle.* – Prends ce flambeau.

LA STATUE – On n'a pas besoin de lumière, quand on est conduit par le Ciel.

L'escalade dans la provocation

Lecture analytique de l'extrait (p. 87, l. 1, à p. 90, l. 19)

Une scène de farce

Le valet dans la farce traditionnelle

Le personnage de valet est traditionnellement un balourd qui satisfait, par ses bourdes, le sentiment de supériorité du spectateur. Peu courageux, souffre-douleur et glouton, il est battu sans susciter la pitié du public.

1. Sganarelle se comporte comme un valet de farce. Qu'est-ce qui, dans les didascalies* et ses répliques, vous permet de l'affirmer ?

2. Son attitude ici est-elle la même que dans le reste de la pièce ? Justifiez le choix de Molière.

3. Dans la mise en scène de Jean-Pierre Vincent, quel type de relation entre le maître et le valet les costumes et les attitudes des acteurs définissent-ils ?

*** *Didascalies* : indications données par l'auteur pour préciser des intonations ou des jeux de scène.**

Cf. document 1

Le chat et la souris

4. Quelle suite d'émotions le maître suscite-t-il, par jeu, chez son valet ?

5. L'attitude de Don Juan face à la statue modifie-t-elle le jugement du spectateur sur le héros ?

6. Justifiez le choix de Molière de ne faire apparaître la statue du Commandeur que très brièvement.

Des lectures multiples

7. Comment peut-on expliquer la différence de réaction entre Don Juan et Sganarelle face à cet événement extraordinaire ?

8. Patrice Chéreau a fait du Commandeur *« une sorte d'automate qui distribue des coups de poing à la façon de certains mannequins de foire »*. Jean-Luc Boutté, lui, l'a réduit à une tête manipulée par Don Juan comme une marionnette. Quelles interprétations ces deux metteurs en scène font-ils de la fonction de cette statue animée ?

Acte V

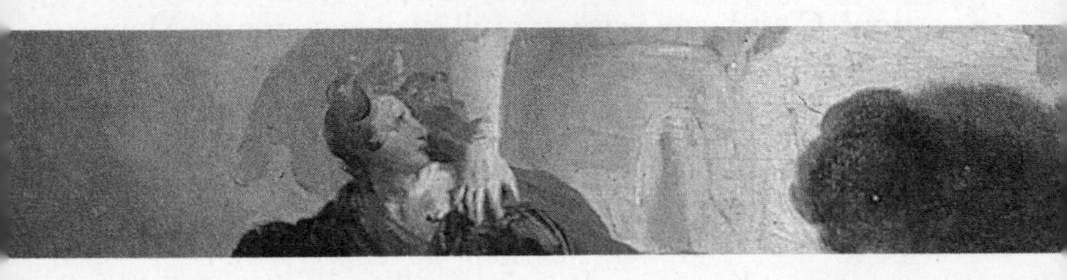

SCÈNE 1

DON LOUIS, DON JUAN, SGANARELLE

1 DON LOUIS – Quoi ? mon fils, serait-il possible que la bonté du Ciel eût exaucé mes vœux ? Ce que vous me dites est-il bien vrai ? ne m'abusez-vous point d'un faux espoir, et puis-je prendre quelque assurance sur la nouveauté surprenante
5 d'une telle conversion ?

DON JUAN, *faisant l'hypocrite.* – Oui, vous me voyez revenu de toutes mes erreurs ; je ne suis plus le même d'hier au soir, et le Ciel tout d'un coup a fait en moi un changement qui va surprendre tout le monde : il a touché mon âme et dessillé[1]
10 mes yeux, et je regarde avec horreur le long aveuglement où j'ai été, et les désordres criminels de la vie que j'ai menée. J'en repasse dans mon esprit toutes les abominations, et m'étonne comme[2] le Ciel les a pu souffrir si longtemps, et n'a pas vingt fois sur ma tête laissé tomber les coups de sa justice
15 redoutable. Je vois les grâces[3] que sa bonté m'a faites en ne me punissant point de mes crimes ; et je prétends en profiter

Notes

1. **dessillé** : ouvert.
2. **m'étonne comme** : suis fortement surpris de la façon dont.
3. **grâces** : faveurs.

comme je dois, faire éclater aux yeux du monde[1] un soudain changement de vie, réparer par là le scandale de mes actions passées, et m'efforcer d'en obtenir du Ciel une pleine rémis-
20 sion[2]. C'est à quoi je vais travailler ; et je vous prie, Monsieur, de vouloir bien contribuer à ce dessein[3], et de m'aider vous-même à faire choix d'une personne qui me serve de guide, et sous la conduite de qui je puisse marcher sûrement dans le chemin où je m'en vais entrer.

25 DON LOUIS – Ah ! mon fils, que la tendresse d'un père est aisément rappelée, et que les offenses d'un fils s'évanouissent vite au moindre mot de repentir ! Je ne me souviens plus déjà de tous les déplaisirs que vous m'avez donnés, et tout est effacé par les paroles que vous venez de me faire entendre. Je ne me
30 sens pas[4], je l'avoue ; je jette des larmes de joie ; tous mes vœux sont satisfaits, et je n'ai plus rien désormais à demander au Ciel. Embrassez-moi, mon fils, et persistez, je vous conjure, dans cette louable pensée. Pour moi, j'en vais tout de ce pas porter l'heureuse nouvelle à votre mère, partager avec elle les doux
35 transports du ravissement où je suis, et rendre grâce au Ciel des saintes résolutions qu'il a daigné vous inspirer.

SCÈNE 2

DON JUAN, SGANARELLE

1 SGANARELLE – Ah ! Monsieur, que j'ai de joie de vous voir converti ! Il y a longtemps que j'attendais cela, et voilà, grâce au Ciel, tous mes souhaits accomplis.

DON JUAN – La peste le benêt[5] !

Notes

1. **faire éclater aux yeux du monde** : manifester publiquement.
2. **une pleine rémission** : un pardon total.
3. **dessein** : projet.
4. **Je ne me sens pas** : je ne me sens plus de joie, je suis extrêmement heureux.
5. **benêt** : idiot.

5 SGANARELLE – Comment, le benêt?

DON JUAN – Quoi? tu prends pour de bon argent ce que je viens de dire, et tu crois que ma bouche était d'accord avec mon cœur?

SGANARELLE – Quoi? ce n'est pas... Vous ne... Votre... Oh!
10 quel homme! quel homme! quel homme!

DON JUAN – Non, non, je ne suis point changé, et mes sentiments sont toujours les mêmes.

SGANARELLE – Vous ne vous rendez pas à[1] la surprenante merveille de cette statue mouvante et parlante?

15 DON JUAN – Il y a bien quelque chose là-dedans que je ne comprends pas; mais quoi que ce puisse être, cela n'est pas capable ni de convaincre mon esprit, ni d'ébranler mon âme; et si j'ai dit que je voulais corriger ma conduite et me jeter dans un train de vie[2] exemplaire, c'est un dessein que j'ai
20 formé par pure politique[3], un stratagème utile, une grimace[4] nécessaire où je veux me contraindre, pour ménager un père dont j'ai besoin, et me mettre à couvert, du côté des hommes, de cent fâcheuses aventures qui pourraient m'arriver. Je veux bien, Sganarelle, t'en faire confidence, et je suis bien aise
25 d'avoir un témoin du fond de mon âme et des véritables motifs qui m'obligent à faire les choses.

SGANARELLE – Quoi? vous ne croyez rien du tout, et vous voulez cependant vous ériger en homme de bien[5]?

DON JUAN – Et pourquoi non? Il y en a tant d'autres comme
30 moi, qui se mêlent de ce métier[6], et qui se servent du même masque pour abuser le monde[7]!

Notes

1. Vous ne vous rendez pas à : vous n'êtes pas convaincu par.
2. me jeter dans un train de vie : adopter un mode de vie.
3. politique : stratégie.
4. grimace : fausse attitude.
5. vous ériger en homme de bien : vous faire passer pour un homme exemplaire.
6. qui se mêlent de ce métier : qui font cela.
7. le monde : tout le monde.

SGANARELLE – Ah ! quel homme ! quel homme !

DON JUAN – Il n'y a plus de honte maintenant à cela : l'hypocrisie est un vice à la mode, et tous les vices à la mode passent
35 pour vertus. Le personnage d'homme de bien est le meilleur de tous les personnages qu'on puisse jouer aujourd'hui, et la profession d'hypocrite a de merveilleux avantages. C'est un art[1] de qui[2] l'imposture est toujours respectée ; et quoiqu'on[3] la découvre, on n'ose rien dire contre elle. Tous les autres
40 vices des hommes sont exposés à la censure[4] et chacun a la liberté de les attaquer hautement, mais l'hypocrisie est un vice privilégié, qui, de sa main, ferme la bouche à tout le monde, et jouit en repos d'une impunité souveraine[5]. On lie, à force de grimaces, une société étroite[6] avec tous les gens
45 du parti. Qui en choque un, se les jette tous sur les bras ; et ceux que l'on sait même agir de bonne foi là-dessus, et que chacun connaît pour être véritablement touchés[7], ceux-là, dis-je, sont toujours les dupes des autres[8] ; ils donnent hautement dans le panneau des grimaciers, et appuient[9] aveuglé-
50 ment les singes de leurs actions[10]. Combien crois-tu que j'en connaisse qui, par ce stratagème, ont rhabillé[11] adroitement les désordres de leur jeunesse, qui se sont fait un bouclier du manteau de la religion, et, sous cet habit respecté, ont la permission d'être les plus méchants hommes du monde ? On
55 a beau savoir leurs intrigues et les connaître pour ce qu'ils

Notes

1. **art** : savoir-faire.
2. **de qui** : dont.
3. **quoiqu'on** : même si on.
4. **censure** : critique.
5. **souveraine** : totale.
6. **on lie une société étroite** : on se lie d'amitié.
7. Véritablement touchés par la grâce, des croyants sincères (tournure elliptique).
8. **sont toujours les dupes des autres** : se laissent toujours tromper par les autres.
9. **appuient** : soutiennent.
10. **les singes de leurs actions** : ceux qui les imitent.
11. **rhabillé** : réparé.

sont, ils ne laissent pas pour cela d'être en crédit[1] parmi les gens ; et quelque baissement de tête, un soupir mortifié[2], et deux roulements d'yeux rajustent[3] dans le monde tout ce qu'ils peuvent faire. C'est sous cet abri favorable que je veux
60 me sauver, et mettre en sûreté mes affaires. Je ne quitterai point mes douces habitudes ; mais j'aurai soin de me cacher et me divertirai à petit bruit. Que si je viens à être découvert, je verrai, sans me remuer, prendre mes intérêts à toute la cabale[4], et je serai défendu par elle envers et contre tous.
65 Enfin c'est là le vrai moyen de faire impunément[5] tout ce que je voudrai. Je m'érigerai en censeur[6] des actions d'autrui, jugerai mal de tout le monde, et n'aurai bonne opinion que de moi. Dès qu'une fois on m'aura choqué tant soit peu, je ne pardonnerai jamais et garderai tout doucement une haine
70 irréconciliable. Je ferai le vengeur des intérêts du Ciel[7], et, sous ce prétexte commode, je pousserai[8] mes ennemis, je les accuserai d'impiété, et saurai déchaîner contre eux des zélés indiscrets[9], qui, sans connaissance de cause, crieront en public contre eux, qui les accableront d'injures, et les damneront
75 hautement de leur autorité privée[10]. C'est ainsi qu'il faut profiter des faiblesses des hommes, et qu'un sage esprit s'accommode[11] aux vices de son siècle.

Notes

1. **ils ne laissent pas pour cela d'être en crédit :** ils sont malgré tout bien considérés.
2. **mortifié :** exprimant la punition qu'on s'inflige.
3. **rajustent :** excusent, corrigent l'effet.
4. **prendre mes intérêts à toute la cabale :** tout le groupe des dévots défendre mes intérêts.
5. **Impunément :** sans être puni.
6. **censeur :** juge sévère.
7. **Je ferai le vengeur des intérêts du Ciel :** je défendrai les intérêts de Dieu.
8. **pousserai :** poursuivrai.
9. **des zélés indiscrets :** des partisans enthousiastes et aveuglés.
10. **de leur autorité privée :** en leur propre nom.
11. **s'accommode :** s'adapte.

SGANARELLE – Ô Ciel ! qu'entends-je ici ? Il ne vous manquait plus que d'être hypocrite pour vous achever de tout point[1], et
80 voilà le comble des abominations. Monsieur, cette dernière-ci m'emporte et je ne puis m'empêcher de parler. Faites-moi tout ce qu'il vous plaira, battez-moi, assommez-moi de coups, tuez-moi, si vous voulez : il faut que je décharge mon cœur, et qu'en valet fidèle je vous dise ce que je dois. Sachez,
85 Monsieur, que tant va la cruche à l'eau qu'enfin elle se brise ; et comme dit fort bien cet auteur que je ne connais pas, l'homme est en ce monde ainsi que l'oiseau sur la branche ; la branche est attachée à l'arbre ; qui s'attache à l'arbre suit de bons préceptes ; les bons préceptes valent mieux que les belles
90 paroles ; les belles paroles se trouvent à la cour ; à la cour sont les courtisans ; les courtisans suivent la mode ; la mode vient de la fantaisie ; la fantaisie est une faculté de l'âme ; l'âme est ce qui nous donne la vie ; la vie finit par la mort ; la mort nous fait penser au Ciel ; le Ciel est au-dessus de la terre ; la terre
95 n'est point la mer ; la mer est sujette aux orages ; les orages tourmentent[2] les vaisseaux ; les vaisseaux ont besoin d'un bon pilote ; un bon pilote a de la prudence ; la prudence n'est point dans les jeunes gens ; les jeunes gens doivent obéissance aux vieux ; les vieux aiment les richesses ; les richesses font les
100 riches ; les riches ne sont pas pauvres ; les pauvres ont de la nécessité[3] ; la nécessité n'a point de loi ; qui n'a pas de loi vit en bête brute[4] ; et, par conséquent, vous serez damné à tous les diables.

DON JUAN – Ô le beau raisonnement !

105 SGANARELLE – Après cela, si vous ne vous rendez, tant pis pour vous.

Notes

1. **pour vous achever de tout point** : pour compléter le personnage.
2. **tourmentent** : malmènent.
3. **ont de la nécessité** : ont besoin de tout.
4. **brute** : sauvage.

SCÈNE 3

Don Carlos, Don Juan, Sganarelle

1 Don Carlos – Don Juan, je vous trouve à propos, et suis bien aise de vous parler ici plutôt que chez vous, pour vous demander vos résolutions. Vous savez que ce soin me regarde[1], et que je me suis en votre présence chargé de cette affaire. 5 Pour moi, je ne le cèle point, je souhaite fort que les choses aillent dans la douceur; et il n'y a rien que je fasse pour porter votre esprit à vouloir prendre cette voie, et pour vous voir publiquement confirmer à ma sœur le nom de votre femme.

Don Juan, *d'un ton hypocrite.* – Hélas! je voudrais bien, de tout 10 mon cœur, vous donner la satisfaction que vous souhaitez; mais le Ciel s'y oppose directement : il a inspiré à mon âme le dessein de changer de vie, et je n'ai point d'autre pensée maintenant que de quitter entièrement tous les attachements du monde[2], de me dépouiller au plus tôt de toutes sortes de 15 vanités[3], et de corriger désormais par une austère conduite tous les dérèglements criminels où m'a porté le feu[4] d'une aveugle jeunesse.

Don Carlos – Ce dessein, Don Juan, ne choque point ce que je dis; et la compagnie d'une femme légitime peut bien s'ac- 20 commoder avec les louables pensées que le Ciel vous inspire.

Don Juan – Hélas! point du tout. C'est un dessein que votre sœur elle-même a pris : elle a résolu sa retraite, et nous avons été touchés[5] tous deux en même temps.

Notes

1. **ce soin me regarde** : cette affaire me concerne.
2. **quitter entièrement tous les attachements du monde** : renoncer à tout ce qui semble important dans la société humaine.
3. **me dépouiller [...] de toutes sortes de vanités** : me débarrasser de préoccupations futiles aux yeux de la religion.
4. **le feu** : la fougue.
5. **touchés** : convertis par la grâce (tournure elliptique).

DON CARLOS – Sa retraite ne peut nous satisfaire, pouvant être
25 imputée au mépris que vous feriez d'elle et de notre famille ; et notre honneur demande qu'elle vive avec vous.

DON JUAN – Je vous assure que cela ne se peut. J'en avais, pour moi, toutes les envies du monde, et je me suis même encore aujourd'hui conseillé au Ciel[1] pour cela ; mais lorsque je l'ai
30 consulté, j'ai entendu une voix qui m'a dit que je ne devais point songer à votre sœur, et qu'avec elle assurément je ne ferais point mon salut[2].

DON CARLOS – Croyez-vous, Don Juan, nous éblouir[3] par ces belles excuses ?

35 DON JUAN – J'obéis à la voix du Ciel.

DON CARLOS – Quoi ? vous voulez que je me paie d'un[4] semblable discours ?

DON JUAN – C'est le Ciel qui le veut ainsi.

DON CARLOS – Vous aurez fait sortir ma sœur d'un convent
40 pour la laisser ensuite ?

DON JUAN – Le Ciel l'ordonne de la sorte.

DON CARLOS – Nous souffrirons cette tache en notre famille ?

DON JUAN – Prenez-vous-en au Ciel.

DON CARLOS – Et quoi ? toujours le Ciel ?

45 DON JUAN – Le Ciel le souhaite comme cela.

DON CARLOS – Il suffit, Don Juan, je vous entends[5]. Ce n'est pas ici que je veux vous prendre[6], et le lieu ne le souffre pas[7] ; mais, avant qu'il soit peu, je saurai vous trouver.

Notes

1. **je me suis [...] conseillé au Ciel** : j'ai demandé conseil à Dieu.
2. **je ne ferais point mon salut** : je ne sauverais pas mon âme.
3. **éblouir** : aveugler, tromper.
4. **que je me paie d'un** : que j'accepte un.
5. **entends** : comprends.
6. **vous prendre** : me battre avec vous.
7. **le lieu ne le souffre pas** : c'est impossible dans un tel endroit.

DON JUAN – Vous ferez ce que vous voudrez ; vous savez que
50 je ne manque point de cœur, et que je sais me servir de mon épée quand il le faut. Je m'en vais passer tout à l'heure dans cette petite rue écartée qui mène au grand convent ; mais je vous déclare, pour moi, que ce n'est point moi qui me veux battre : le Ciel m'en défend la pensée ; et si vous m'attaquez,
55 nous verrons ce qui en arrivera.

DON CARLOS – Nous verrons, de vrai, nous verrons.

SCÈNE 4

DON JUAN, SGANARELLE

1 SGANARELLE – Monsieur, quel diable de style prenez-vous là ? Ceci est bien pis que le reste, et je vous aimerais bien mieux encore comme vous étiez auparavant. J'espérais toujours de votre salut ; mais c'est maintenant que j'en désespère ; et je
5 crois que le Ciel, qui vous a souffert jusques ici, ne pourra souffrir du tout cette dernière horreur.

DON JUAN – Va, va, le Ciel n'est pas si exact[1] que tu penses ; et si toutes les fois que les hommes…

SGANARELLE, *apercevant un spectre.* – Ah ! Monsieur, c'est le Ciel
10 qui vous parle, et c'est un avis qu'il vous donne.

DON JUAN – Si le Ciel me donne un avis, il faut qu'il parle un peu plus clairement, s'il veut que je l'entende.

Note

1. **n'est pas si exact** : ne tient pas des comptes si exacts.

SCÈNE 5

DON JUAN, UN SPECTRE *en femme voilée,* SGANARELLE

1 LE SPECTRE – Don Juan n'a plus qu'un moment à pouvoir profiter de la miséricorde du Ciel ; et s'il ne se repent ici, sa perte est résolue.

SGANARELLE – Entendez-vous, Monsieur ?

5 DON JUAN – Qui ose tenir ces paroles ? Je crois connaître cette voix.

SGANARELLE – Ah ! Monsieur, c'est un spectre : je le reconnais au marcher[1].

DON JUAN – Spectre, fantôme, ou diable, je veux voir ce que 10 c'est.

Le spectre change de figure et représente le Temps avec sa faux à la main.

SGANARELLE – Ô Ciel ! voyez-vous, Monsieur, ce changement de figure ?

15 DON JUAN – Non, non, rien n'est capable de m'imprimer de la terreur[2], et je veux éprouver[3] avec mon épée si c'est un corps ou un esprit.

Le spectre s'envole dans le temps que[4] *Don Juan le veut frapper.*

SGANARELLE – Ah ! Monsieur, rendez-vous à tant de preuves, 20 et jetez-vous vite dans le repentir.

DON JUAN – Non, non, il ne sera pas dit, quoi qu'il arrive, que je sois capable de me repentir. Allons, suis-moi.

Notes

1. **au marcher** : à la démarche.
2. **imprimer de la terreur** : me terrifier.
3. **éprouver** : tester.
4. ***dans le temps que*** : au moment où.

Alexandre-Évariste Fragonard,
Don Juan et la statue de Commandeur (vers 1830-1835).

SCÈNE 6

La Statue, Don Juan, Sganarelle

1 La Statue – Arrêtez, Don Juan : vous m'avez hier donné parole de venir manger avec moi.

Don Juan – Oui. Où faut-il aller ?

La Statue – Donnez-moi la main.

5 Don Juan – La voilà.

La Statue – Don Juan, l'endurcissement au péché[1] traîne[2] une mort funeste, et les grâces du Ciel que l'on renvoie ouvrent un chemin à sa foudre.

Don Juan – Ô Ciel ! que sens-je ? Un feu invisible me brûle, je
10 n'en puis plus, et tout mon corps devient un brasier ardent ! Ah !

Le tonnerre tombe avec un grand bruit et de grands éclairs sur Don Juan ; la terre s'ouvre et l'abîme ; et il sort de grands feux de l'endroit où il est tombé.

15 Sganarelle – Ah ! [mes gages, mes gages !] Voilà par sa mort un chacun satisfait : Ciel offensé, lois violées, filles séduites, familles déshonorées, parents outragés, femmes mises à mal, maris poussés à bout, tout le monde est content. Il n'y a que moi seul de malheureux. [Mes gages, mes gages, mes gages !][3]

Notes

1. l'endurcissement au péché : l'obstination dans ses fautes.
2. traîne : entraîne.
3. Censurée, cette dernière réplique a donc été réécrite, d'où ces versions différentes signalées ici par des crochets.

Le châtiment de Don Juan

Lecture analytique de l'extrait (p. 100, l. 39, à p. 104, l. 19)

LA PIRE DES HYPOCRISIES : L'HYPOCRISIE RELIGIEUSE

La critique de la morale des jésuites

Pour soutenir la réaction de l'Église catholique face aux mouvements de la Réforme, les jésuites développèrent une conception accommodante de la morale. Dans la lettre VII des *Provinciales*, le philosophe Blaise Pascal (janséniste et donc favorable aux Réformés) évoque, par exemple, le fait d'excuser l'homicide s'il n'a pas été voulu par le criminel. Beaucoup virent dans cette excuse une hypocrisie.

1. En quoi consiste, dans la scène 3, la stratégie hypocrite de Don Juan face à Don Carlos ?

2. Pourquoi Sganarelle est-il encore plus scandalisé par cette nouvelle attitude de Don Juan ?

3. De qui Sganarelle exprime-t-il les réactions indignées vis-à-vis de son maître dans ces trois dernières scènes ? De quelle attitude religieuse est-il le porte-parole ?

LE REFUS DU REPENTIR

4. À qui s'adresse le spectre dans la scène 5 ?

5. Comment Sganarelle explique-t-il l'apparition du spectre, sa transformation et sa disparition ?

6. Que représente, dans le contexte de la société chrétienne du XVIIe siècle, le refus d'admettre le surnaturel et de se repentir ?

7. Pour quelle raison, au début de la scène 6, Don Juan écarte-t-il l'éventualité du repentir ?

Les fonctions du châtiment

8 En quoi le geste de Don Juan, dans la scène 6 (l. 5), est-il dans la droite ligne de son attitude tout au long de la pièce ?

9 Quelles sont les deux fonctions de la description faite par Don Juan de ce qu'il ressent ?

10 Quelle est la signification religieuse de ce dénouement ? En quoi satisfait-il aussi la morale sociale ?

11 Comparez les effets produits par la représentation du surnaturel dans la peinture de Fragonard (p. 103), la gravure de la page 144 et la photo de mise en scène de la mort de Don Juan.

Cf. document 4.

Un dénouement censuré

12 D'habitude, dans une comédie, tous les personnages se retrouvent en scène pour le dénouement* heureux. En quoi cette dernière scène diffère-t-elle de la norme ?

*** *Dénouement* : résolution d'une situation nouée par une série de péripéties (événements survenant de façon inattendue).**

13 Pourquoi, selon vous, la censure de l'époque a-t-elle supprimé certains mots (entre crochets) de la dernière réplique du valet ?

14 Observez la posture de Sganarelle et définissez le ton sur lequel l'acteur Philippe Avron devait prononcer cette dernière réplique.

Cf. document 6.

Dossier biblioLYCÉE

Dom Juan

1 Structure de l'œuvre

Progression dramatique fondée sur le hasard

Les projets de Don Juan sont régulièrement contrariés et c'est le hasard qui mène l'intrigue. Il est plusieurs fois sauvé ou se tire d'affaire par ses propres moyens jusqu'à ce que la statue empêche sa dernière dérobade en le tuant.

Actes	Projets	Intrigue contrariée
I, 2	Intention d'abandonner Elvire et de séduire une fiancée.	Échec de la tentative d'enlèvement.
II, 2-5	Intention de séduire deux paysannes.	L'annonce d'un danger l'oblige à fuir.
III, 3-4	Se porte au secours d'un homme agressé.	L'homme agressé s'avère être son poursuivant mais intercède en sa faveur et repousse le moment de la vengeance.
III, 5 **IV, 2-8**	Découvre, par hasard, un monument et défie la statue funéraire de sa victime en l'invitant à dîner.	Le souper est retardé par les visites inattendues de son créancier, de son père, d'Elvire et de la statue du Commandeur qui lui retourne son invitation.
V, 1-3	Conversion apparente de Don Juan à une vie pieuse qui lui permet de calmer son père et d'éconduire Carlos.	Le duel est différé dans l'attente d'un lieu moins exposé.

Progression de la gravité des méfaits de Don Juan

- Non-respect de la promesse de mariage faite à Elvire.

- Tentative de corruption de trois jeunes filles à marier.
- Ingratitude vis-à-vis de son sauveteur.

- Incitation d'un mendiant au blasphème.
- Non-respect du caractère sacré de la mort.

- Non-respect de ses engagements financiers.
- Absence de respect filial.
- Absence de respect pour la démarche vertueuse d'Elvire.

- Outrage aux manifestations surnaturelles qui l'appellent au repentir en lui annonçant sa mort imminente.

2 Molière, comédien et dramaturge

Identité :
Jean-Baptiste Poquelin

Naissance :
15 janvier 1622 à Paris

Décès :
17 février 1673 à Paris

Genres pratiqués :
comédies en prose et en vers

I – Héritier d'une tradition familiale

➥ Jean-Baptiste, fils d'un tapissier du roi

Le 15 janvier 1622, les Poquelin, tapissiers depuis plusieurs générations, font baptiser un fils prénommé Jean-Baptiste. Dix ans plus tard, la mère meurt, laissant cinq enfants. En 1633, le père se remarie. De 1636 à 1640, le jeune garçon complète les rudiments d'instruction qu'il a reçus en famille, au collège de Clermont, une prestigieuse institution jésuite, qui est aujourd'hui le lycée Louis-le-Grand.

Son père, qui espère que Jean-Baptiste lui succédera dans la charge de tapissier et valet ordinaire du roi, lui fait prêter serment à cet effet à l'âge de 15 ans. Toutefois, le jeune homme part étudier le droit à Orléans et obtient sa licence en 1642.

➥ Séduit par l'aventure

Cette année-là, Jean-Baptiste remplace son père auprès de Louis XIII qui se rendait à Narbonne et fait, à cette occasion, la connaissance de la troupe des Béjart qui accompagnait la Cour dans ce déplacement. Ainsi s'enflamme son intérêt pour le théâtre déjà éveillé par son grand-père, qui le conduisait souvent, quand il était enfant, voir les comédiens de l'Hôtel de Bourgogne.

Les troupes de théâtre à Paris

À l'époque de Molière, parce que le roi avait longtemps accordé un monopole à une seule compagnie, il n'y a que deux troupes de théâtre sédentaires à Paris : l'Hôtel de Bourgogne, où jouent les « Grands Comédiens » depuis 1598, et la troupe du Marais, formée des « Petits Comédiens », qui devient sa rivale à partir de 1634.

II – Des débuts difficiles

➠ L'Illustre-Théâtre et Molière

La rencontre avec ces comédiens passionnés est déterminante pour le jeune homme. Il décide de devenir tragédien. Il réclame sa part d'héritage et fonde, avec Madeleine Béjart, L'Illustre-Théâtre, une troupe de 10 personnes qui sera placée sous plusieurs protections successives. Jean-Baptiste Poquelin prendra, en juin 1644, la direction de cette troupe sous le pseudonyme de Molière.
La troupe ne peut s'imposer face aux professionnels réputés du Marais et de l'Hôtel de Bourgogne. Les dettes s'accumulent et mènent Molière en prison pour quelques jours en juillet 1645.

➠ Les années de formation en province

Molière décide de quitter Paris et se joint alors, avec Madeleine Béjart, à la troupe de l'acteur Dufresne, protégée par le duc d'Épernon, gouverneur du Languedoc. Il parcourt, durant treize années, le Sud de la France en jouant devant des publics très variés qui apprécient souvent plus la farce que la tragédie. Molière se forme au métier d'acteur mais aussi à celui de dramaturge[1] car il écrit, vers 1647, des canevas de farces – *La Jalousie du barbouillé* et *Le Médecin volant* –, ainsi que deux comédies : *L'Étourdi* (1655) et *Le Dépit amoureux* (1656), qui plaisent au public.

III – Molière, directeur de troupe

➠ Trahi par son protecteur

Lors de la disgrâce du duc d'Épernon en 1653, Molière, qui a succédé à Dufresne, place la troupe sous la protection du prince de Conti. Cet homme cultivé, frère du Grand Condé, mène une vie de débauche et de plaisir. Il souhaite que Molière et sa troupe viennent distraire les états généraux du Languedoc, assemblée exceptionnelle convoquée

◗ POURQUOI MOLIÈRE ?
Molière n'a jamais expliqué la raison de son choix. Peut-être faut-il y entendre une allusion au lierre dont les différentes valeurs thérapeutiques et symboliques pouvaient le séduire ?

◗ LES FARCES
Ces courtes pièces au comique grossier, issues de la tradition médiévale, étaient très populaires du temps de Molière.

NOTE
1. **dramaturge :** auteur de pièces de théâtre.

LES ITALIENS
Appelés en France par le roi Henri III pour distraire sa mère, l'Italienne Catherine de Médicis, les Comédiens-Italiens s'installent durablement en France au début du XVIIe siècle. Leur technique de jeu burlesque (les *lazzi*) et leur répertoire influenceront les auteurs et les acteurs français.

LE PARTI DES DÉVOTS
La Compagnie du Saint-Sacrement soutint activement et secrètement l'action de l'Église catholique contre le protestantisme et la libre pensée. Elle entreprit de moraliser la société. D'influents aristocrates, dont le prince de Conti, y participèrent.

sur demande du roi à Pézenas. Mais, en 1657, il renonce à la vie mondaine pour mener une vie pieuse. Il abandonne donc la troupe et devient même un farouche adversaire du théâtre.

Enfin reconnu à Paris

En 1658, Molière revient à Paris et joue, devant le jeune Louis XIV, la tragédie *Nicomède* de Corneille, mais c'est une farce, *Le Docteur amoureux*, qui enthousiasme le public. Molière a effectivement un extraordinaire talent comique. Le roi lui attribue alors la salle du Petit-Bourbon. La troupe s'y produit en alternance avec les Comédiens-Italiens de Fiorilli (qui joue Scaramouche). Molière commence par des tragédies qui n'attirent personne, puis il reprend ses premières pièces et se lance dans l'écriture de comédies plus ambitieuses.

IV – Les premières grandes comédies

En 1659, *Les Précieuses ridicules*, qui ironisent avec esprit sur une mode du temps, enchantent le public et confirment la faveur du roi. Mais les vieilles précieuses ulcérées font détruire le théâtre à l'insu du roi. En 1662, celui-ci installe Molière dans un théâtre désaffecté depuis vingt ans : le Palais-Royal. La même année, Molière écrit une nouvelle pièce sur un sujet peu courant dans les comédies de l'époque : la condition féminine. *L'École des femmes* est un triomphe. Il épouse également Armande Béjart, jeune sœur ou fille de Madeleine.

V – Molière contre les dévots

Nommé responsable des divertissements de la Cour, Molière réalise, pour *Les Plaisirs de l'île enchantée* avec lesquels Louis XIV inaugure les nouveaux jardins de Versailles, plusieurs divertissements qui mêlent texte (notamment une version inachevée du *Tartuffe*), musique, danse et effets spectaculaires.

L'École des femmes ayant scandalisé les dévots, Molière se défend en écrivant *Le Tartuffe* (1664), où il dénonce l'hypocrisie religieuse. Le scandale est tel que le roi est obligé d'interdire la pièce dès la première représentation.
En 1665, Molière réattaque ses ennemis avec *Dom Juan,* comédie pour laquelle il utilise les machineries réservées jusque-là à la tragédie. Mais il est soutenu par le roi qui a pris la troupe sous sa protection et lui a accordé une pension confortable.

LA COMÉDIE-FRANÇAISE
À la mort de Molière, la troupe du Marais rejoint la sienne à l'Hôtel Guénégaud, puis, sur ordre du roi en 1680, ces comédiens et ceux de l'Hôtel de Bourgogne deviennent les Comédiens-Français. Ils donnent naissance à la Comédie-Française.

VI – Une riche production

Pendant les deux années suivantes, Molière, malade, joue irrégulièrement mais continue à écrire des pièces qui connaissent le succès. Sans doute invité à laisser se calmer la polémique, il exprime son amertume dans *Le Misanthrope,* joué en 1666, qui précède de peu sa séparation d'avec Armande Béjart. Puis il tente de reprendre *Le Tartuffe,* mais la pièce est à nouveau interdite.
En 1668, il crée deux nouvelles pièces à machines[1] : *Amphitryon* et *George Dandin.* Parallèlement, *L'Avare* complète la série des comédies de caractère. En 1669, l'interdiction du *Tartuffe* est levée et la pièce remporte un très grand succès.

VII – Les dernières œuvres

Molière élargit ses comédies de caractère vers une satire des mœurs. Il réalise aussi des spectacles ambitieux comme *Le Bourgeois gentilhomme,* une comédie-ballet écrite en 1670 et réalisée en collaboration avec le musicien du roi, Lully. Puis sa maîtrise de l'intrigue s'exprime dans *Les Fourberies de Scapin* (1671) et son esprit acerbe dans *Les Femmes savantes* (1672).
Le Malade imaginaire est sa dernière pièce. Pris de convulsions au cours de la quatrième représenta-

NOTE
1. **pièces à machines :** pièces où les décors et les machineries, tels des effets spéciaux, sont nombreux.

EN GUISE D'ÉPITAPHE
« On ne meurt qu'une fois, et c'est pour si longtemps » (Molière, *Le Dépit amoureux*, 1656).

tion, le 17 février 1673, Molière meurt quelques heures plus tard sans avoir pu se confesser comme il le souhaitait. Louis XIV intervient pour que son corps ne soit pas jeté à la fosse commune. C'était, en effet, le sort réservé aux comédiens non repentis, leur profession étant considérée comme immorale par l'Église qui leur refusait le rituel religieux. Molière fut enterré de nuit mais en présence de 8 prêtres et d'une grande foule.

3 La France à l'époque de Molière

I – L'instauration de l'absolutisme politique

➠ Sous le règne de Louis XIII et de Richelieu

En 1610, lorsque le roi Henri IV est assassiné, son fils, le futur Louis XIII, n'a que 9 ans et la régente, Marie de Médicis, est incapable de poursuivre la restauration du pays après les guerres de Religion. Les nobles et les protestants se préparent à des interventions militaires pour prendre le pouvoir. Richelieu, ministre de 1624 à 1642, réussit à freiner les ambitions des protestants et à résister aux complots des grands aristocrates proches du roi. La centralisation de l'administration, la police et le contrôle de l'opinion sont renforcés. L'économie est dynamisée, mais les impôts sont gravement alourdis par l'entrée de la France, en 1635, dans le conflit européen qui opposait, depuis 1618, les États catholiques et protestants.

LA RÉGENCE
Lorsqu'un héritier de la couronne était mineur à la mort de son père, le pouvoir était confié temporairement à un membre de la famille proche.

➠ Mazarin et la régence

Louis XIII meurt en 1643, six mois après Richelieu. Son fils n'ayant que 5 ans, la reine Anne d'Autriche assure la régence et, suivant le conseil du roi défunt et de Richelieu, prend le cardinal Mazarin pour ministre. La hausse des impôts, de mauvaises récoltes et des épidémies entraînent des révoltes paysannes puis des émeutes qui, conjuguées aux intrigues des Parlements et des grands seigneurs, aboutissent à la Fronde. L'insurrection bouleverse la France de 1648 à 1653 mais échoue grâce à l'habileté de Mazarin.

L'ABSOLUTISME À SON APOGÉE
Louis XIV concentre tous les pouvoirs en ses mains au cours du plus long règne de l'histoire de la France (1661-1715).

➠ La monarchie absolue

En 1663, le jeune roi exclut de son conseil tous les grands aristocrates et s'entoure de bourgeois, avec Colbert à leur tête. Ce dernier gouverne jusqu'en 1683, en s'appuyant sur une administration bien organisée dans les provinces. Il encourage le développement des manufactures et du commerce.

Louis XIV concentre en ses mains tous les pouvoirs et cherche même à échapper à l'autorité du pape. Pour renforcer sa puissance, il s'appuie sur le prestige qu'il tire de constructions somptueuses et de nombreuses guerres qui ruinent le pays.

LA NOBLESSE
L'anoblissement récompensait des faits guerriers ou était lié à l'achat du droit d'exercer des charges juridiques ou financières.

II – Une société organisée en trois ordres

La société du XVIIe siècle est organisée en trois classes pratiquement étanches et fortement hiérarchisées : le clergé, la noblesse et le tiers état. La valeur sociale d'un individu ne dépend pas de sa fortune mais de la classe dans laquelle il est né.

La noblesse tenue sous contrôle

La catégorie sociale la plus respectée est la noblesse d'épée, acquise par de hauts faits guerriers.

Louis XIV fait de Versailles un instrument de contrôle des grands aristocrates dont il n'a pas oublié la récente rébellion. Il leur propose une vie somptueuse mais ruineuse, en leur faisant espérer faveurs et pensions. Il crée d'incessantes rivalités en accordant des privilèges de prestige : assister au lever du roi, s'asseoir sur tel siège… Les grands sont ainsi coupés de leurs domaines et s'opposent au lieu de s'unir contre le roi.

LE TIERS ÉTAT
Cette catégorie sociale était de loin la plus nombreuse. Elle mêlait indistinctement tous ceux qui n'étaient ni nobles ni membres du clergé.

L'avènement de la bourgeoisie

Louis XIV s'appuie, pour gouverner, sur la bourgeoisie qui, grâce au développement économique, bâtit de grandes fortunes. Pour aider au financement des guerres et des entreprises de prestige, il favorise l'anoblissement de ces bourgeois par l'acquisition de charges juridiques, développant ainsi les effectifs de la noblesse de robe.

➡ Une vie de misère pour les paysans

Depuis le début du siècle, la misère paysanne est épouvantable. La famine, due à des conditions climatiques défavorables, sévit. La mortalité infantile est considérable. La variole, la dysenterie, le typhus ou la typhoïde font des ravages. Des hôpitaux se créent, mais la médecine reste rudimentaire.

III – Les valeurs intellectuelles et morales

➡ La condition féminine

Le début du XVIIe siècle est marqué par une certaine émancipation des femmes de l'aristocratie. Les précieuses tiennent des salons et critiquent le mariage. Les filles de riches bourgeois, quant à elles, peuvent épouser des nobles sans fortune attirés par leur dot. Mais le patriarcat reste dominant, et les femmes demeurent soumises à leur père puis à leur mari.

➡ Le pouvoir de la religion

La Compagnie du Saint-Sacrement est créée en 1629 pour lutter contre l'impiété, l'immoralité et le protestantisme. Cette société religieuse secrète se répand dans toute la France et attire de nombreux grands seigneurs. À partir de 1660, des abus la rendent impopulaire, et elle est dissoute en 1665.

➡ Jansénistes contre jésuites

À l'abbaye de Port-Royal se développe une conception religieuse pessimiste et rigoriste opposée aux accommodements tolérés par les jésuites : le jansénisme. Les jansénistes influencent Racine et Pascal. Manifestant une résistance au pouvoir absolu du roi, ils inquiètent et sont persécutés entre 1653 et 1669.

LE JANSÉNISME

Condamnée par le pape, la doctrine de Jansen, évêque d'Ypres, affirmait que Dieu n'accorde pas à tous les hommes la grâce sans laquelle il est impossible d'obtenir le salut de son âme.

LES PROVINCIALES

Pascal, dans un ensemble de 18 lettres, prend parti pour les jansénistes dans le conflit qui les oppose aux jésuites.

MOLIÈRE ET L'ACADÉMIE FRANÇAISE
Du fait de son statut de comédien, Molière n'a pas pu être élu à l'Académie française.

Les libertins

Ce terme péjoratif désigne aussi bien de jeunes aristocrates de la Cour qui, vers 1620, affichent leur irréligion et leur immoralité de façon provocante que des philosophes attachés à la liberté de penser qui amorcent la critique rationnelle de la religion et sont les précurseurs du mouvement des Lumières. Don Juan s'apparente aux débauchés et non aux libres penseurs dont certains étaient des amis de Molière.

IV – La langue et la littérature

Un souci de codification et de mise en ordre

Le français, langue officielle depuis un siècle, s'enrichit de façon anarchique. Pour organiser ce foisonnement, Richelieu crée, en 1634, l'Académie française. Elle est chargée de codifier la langue et d'établir une grammaire et des normes d'usage.

Une créativité anarchique : le baroque

ESTHÉTIQUE BAROQUE
Le baroque a triomphé dans tous les pays européens au début du XVIIe siècle.

L'agitation politique du début du siècle engendre une littérature aux formes irrégulières, ultérieurement regroupée sous le qualificatif *baroque*. Mais les modèles antiques retrouvés par les humanistes du siècle précédent finissent par s'imposer aux auteurs.

L'exception culturelle du classicisme français

Au foisonnement du baroque, marqué par l'irrégularité, le mouvement et la surcharge décorative, s'oppose alors le classicisme français, qui impose un ensemble de règles et prône la rigueur et la mesure. Entre 1660 et 1685, la littérature suit des règles strictes édictées au nom de la bienséance, de la vraisemblance et du bon goût. Elles servent une esthétique fondée sur la raison, la mesure, l'universalité et doivent permettre à la littérature d'instruire en divertissant. Racine, Molière, La Fontaine, Boileau et Madame de Lafayette seront les plus éminents représentants du classicisme.

V – L'art et la Cour

➠ Le mécénat royal

Richelieu, puis Mazarin et Colbert entendent mettre les artistes au service de la gloire du souverain. Ils encouragent le mécénat royal et créent des académies.

➠ Théâtre et protection royale

Le théâtre reste toujours prisonnier du monopole qui l'entrave : Charles VI a donné, en 1402, à la Confrérie de la Passion l'exclusivité du théâtre à Paris (en 1545, elle fera constuire la salle de l'Hôtel de Bourgogne, unique théâtre parisien jusqu'à l'installation du théâtre du Marais en 1634). Et le métier de comédien est encore peu organisé et toujours déconsidéré. Mais la protection du roi maintient l'existence de plusieurs troupes qui peuvent se produire dans des salles privées. Les spectacles de tous types jouent, en effet, un grand rôle dans la politique de la cage dorée menée par Louis XIV vis-à-vis des nobles.

LE CLASSICISME
Le modèle esthétique du siècle de Louis XIV va s'imposer comme une caractéristique essentielle de la culture française.

➠ Versailles : exemple du classicisme français

Louis XIV souhaite mettre l'art au service de sa politique de prestige. L'architecture, par exemple, doit exprimer l'harmonie dans l'ordre, l'équilibre. Ainsi, il fait bâtir le château de Versailles et impose aux artistes de le décorer selon des normes précises. Versailles devient rapidement le modèle des palais princiers européens.

4 Genèse et réception de l'œuvre

LA QUERELLE DES CRITIQUES
Cette pièce en prose et qui ne respecte pas les règles classiques aurait, pour certains critiques, été écrite dans l'urgence.

I – Les origines espagnoles de Don Juan

Le personnage de Don Juan, encore célèbre aujourd'hui, fut inventé par le dramaturge espagnol Tirso de Molina, désireux de réfréner le désir d'émancipation des femmes. *El Burlador de Sevilla y el Convivado de piedra (Le Farceur / L'Abuseur de Séville et l'Invité de pierre)*, « *comedia* » jouée en 1630, met en scène un noble dépravé qui abuse des femmes pour les punir de leur immoralité et de la liberté de leurs mœurs. Des versions abrégées de cette pièce avaient été présentées en 1658 par les Comédiens-Italiens et avaient remporté un grand succès. Des acteurs français en avaient monté des adaptations tragi-comiques.

II – Un sujet à la mode

Pour parer au déficit inattendu occasionné par l'interdiction du *Tartuffe*, Molière aurait repris hâtivement ce sujet à la mode. Cela expliquerait, selon certains critiques littéraires, que la pièce soit écrite en prose et non en vers et qu'elle soit de composition irrégulière. Mais on sait que, le 3 décembre 1664 (soit deux mois avant la première représentation), il avait commandé des décors magnifiques.

DES DÉCORS REMARQUABLES
D'autres critiques pensent que l'investissement fait par Molière pour les décors montre l'importance qu'il attachait à cette pièce.

III – La version de Molière

Molière a conservé l'erreur de traduction du sous-titre *(« Le Festin de pierre »)*. Il a synthétisé les nombreux personnages de la pièce espagnole et donné des noms français aux personnages modestes. La scène du banquet y est beaucoup plus sobre : on n'y sert ni scorpions ni serpents arrosés de fiel et de vinaigre. Le rôle de Sganarelle est beaucoup plus étoffé que celui du *gracioso* (nom des valets de *comedia* espagnole) Catherinon. Il est amplifié, à l'imitation des Italiens, et plus ambigu. Enfin, Molière s'est probablement inspiré, pour l'acte III, d'anecdotes prêtées à des libres penseurs de son temps.

IV – Mise en scène du texte

La pièce fut conçue, répétée et montée en quelques semaines. La première eut lieu le 15 février 1665 et obtint une très bonne recette. Molière jouait le rôle de Sganarelle, le jeune La Grange celui de Don Juan. Cependant, deux jours plus tard, la scène du pauvre disparaissait. Quinze représentations furent données jusqu'à la relâche de Pâques, mais la pièce ne fut pas reprise après. En mai 1665, un pamphlet accusa l'auteur d'impiété. Molière n'insista pas, et l'œuvre ne fut jamais rejouée ni publiée de son vivant.

UN LONG OUBLI
La pièce ne sera rejouée qu'une centaine de fois entre sa reprise à l'Odéon en 1841 et celle de Louis Jouvet en 1947.

V – Le destin de la pièce

Après la mort de Molière, les acteurs de la troupe en donnèrent des fragments et commandèrent une version expurgée et en vers à Thomas Corneille qui fut jouée en 1677. La version d'origine en prose est enfin publiée en 1682, mais, jusqu'en 1841, on ne joua que la version remaniée. La Comédie-Française ne revint au texte de Molière qu'en 1847.
Depuis la reprise historique de la pièce par Louis Jouvet au théâtre de l'Athénée en 1947, tous les grands metteurs en scène ont à cœur de monter cette œuvre en en faisant à chaque fois une lecture nouvelle – ce qui montre sa très grande richesse.

VI – Le mythe de Don Juan

La pièce de Molière contribua de façon importante à la création du mythe littéraire de Don Juan qui inspira aussi Mozart pour son *Don Giovanni* créé à Prague le 29 octobre 1787.

UNE SOURCE INTARISSABLE
Une version filmée de l'opéra de Mozart a été réalisée par Joseph Losey en 1980. Elle obtint un grand succès.

5 Une comédie irrégulière

LA *COMEDIA* DU SIÈCLE D'OR ESPAGNOL
Ces pièces aux sujets très variés reposent sur l'honneur, l'amour et la grâce divine accordée au repenti. Les intrigues dramatiques recourent souvent au fantastique ou au surnaturel.

UNE COMÉDIE PEU CLASSIQUE
Dans *Dom Juan*, Molière affirme une certaine indépendance vis-à-vis des règles de la comédie classique.

I – *Dom Juan* : une comédie ?

Un genre incertain

• Un sujet à la mode

Pour raconter l'histoire de Don Juan, Tirso de Molina avait écrit une *comedia*, les Italiens en avaient fait une farce, Dorimond et Villiers une tragi-comédie.

• Une comédie qui s'affranchit des règles classiques

Molière, lui, présente *Dom Juan ou le Festin de pierre* comme une comédie. Or les règles de ce genre théâtral telles qu'elles sont édictées à l'époque n'y sont pas totalement respectées. Le dialogue est en prose et mélange les tons. L'action est complexe et peu vraisemblable, mais, surtout, le dénouement n'est pas heureux. Il a même une **dimension tragique** du fait de la mort du héros. Cependant, le dernier cri de Sganarelle qui retentit sur la scène déserte brise l'effet solennel. Il donne le dernier mot à des préoccupations triviales et reconvoque le rire.

• Une pièce foisonnante

Alliant aisément les prodiges au réel, elle s'apparente aussi aux pièces à machines comme Molière en mit en scène à Versailles et dont le public de l'époque raffolait. On y reconnaît aussi des situations caractéristiques de la farce ou de la pastorale. La pièce ressemble donc davantage à la *comedia* du Siècle d'or espagnol qui ne s'encombre pas de règles formelles strictes.

Une œuvre satirique

La satire vise les femmes, si crédules dès qu'on flatte leur vanité, qu'elles soient simples paysannes ou nobles. Mais tous les milieux sociaux ont leur lot de critiques :
– les paysans sont stupides et naïfs ;

– l'ermite joue, plus ou moins hypocritement, sur la charité des passants ;
– le bourgeois M. Dimanche ne trouve pas le moyen de récupérer son dû ;
– le noble Don Carlos trouve bien pesantes les contraintes de la défense de l'honneur, et la famille d'Elvire tout comme Don Louis veulent seulement que les apparences soient sauves.

Mais il s'agit surtout de la satire du grand seigneur méchant homme : imbu de sa supériorité, Don Juan ne respecte personne et n'éprouve aucun scrupule.

MÉLANGE DES TONALITÉS
Toléré par les baroques, auteurs de tragi-comédies, par exemple, ce mélange des tons est condamné par les classiques. Des querelles érudites à propos du respect de cette règle, dans *Le Cid* de Corneille, nous sont parvenues.

Une œuvre comique

• Comique de caractère

Le public s'amuse de l'intelligence et de l'audace du héros ainsi que des contradictions de son valet Sganarelle, singeant son maître, retournant sa veste, fuyant, revenant… Il est la dernière victime de Don Juan qui disparaît sans lui avoir versé un salaire bien mérité.

• Comique de situation

Molière exploite à merveille certains lieux communs de la comédie : Don Juan réussit à berner les deux paysannes ou empêche M. Dimanche de parler.

• Comique de mots

Le jargon des paysans en est un exemple, mais, plus finement, Molière excelle dans l'éloge paradoxal où l'on utilise toutes les ressources de la rhétorique pour vanter ce qui n'a pas de valeur ou ce qui est une contre-valeur : ainsi Sganarelle se lance-t-il dans un éloge du tabac ou du vin émétique et Don Juan prononce-t-il avec aisance celui de l'infidélité ou de l'hypocrisie. Le héros use aussi fréquemment de l'ironie[1] pour vanter les beautés du corps d'une paysanne ou pour se moquer de Sganarelle, de Don Carlos, de son père et même d'Elvire.

NOTE
1. **ironie** : manière d'exprimer l'inverse de sa pensée, pour bien montrer sa moquerie.

▸ *COMMEDIA DELL'ARTE*
À la Renaissance, les Comédiens-Italiens inventèrent une forme de jeu théâtral fondé sur l'improvisation, utilisant des masques caricaturaux et une gestuelle outrée.

▸ DÉCORS ET PERSONNAGES
Chaque genre théâtral mettait en scène des catégories sociales différentes (haute noblesse dans la tragédie, bourgeoisie ou noblesse dans la tragi-comédie et la comédie, peuple dans la comédie) intervenant dans un décor spécifique (palais, place urbaine, site champêtre).

• **Comique de gestes**

Enfin, il faut imaginer, tout au long de la pièce, les pitreries de Molière jouant le rôle de Sganarelle, actif même lorsqu'il était muet et qui maintenait, quelle que fût la gravité du sujet, le ton comique.

➠ **Une œuvre fantastique**

Molière fait intervenir par deux fois la statue d'un tombeau représentant un homme tué par Don Juan et un spectre de femme qui se transforme en allégorie du Temps. Ces effets de mise en scène visent à évoquer la participation du surnaturel à l'histoire et à semer l'effroi dans le public.

II – Pièce classique ou spectacle baroque ?

On a coutume de considérer que l'expression artistique au XVIIe siècle oscille entre le baroque et le classicisme.

➠ Le baroque

• **Définition**

On qualifie ainsi, dans l'architecture et la peinture, les œuvres marquées par **le goût** du **faste**, de la **décoration exubérante** et du **monumental**. L'adjectif caractérise aussi les métamorphoses spectaculaires des décors d'opéra ou de théâtre dues à l'ingéniosité de techniciens italiens, tels que Torelli qui, en 1650 pour l'*Andromède* de Corneille, fit voler Melpomène dans le char du Soleil et mit en scène le combat de Persée, monté sur Pégase, contre un monstre marin.
En littérature, le baroque s'exprime dans tous les genres à travers les thèmes de l'instabilité, de l'illusion, de la mort, et la recherche d'une certaine virtuosité.

• **Les aspects baroques de *Dom Juan***

Dom Juan comporte certains aspects baroques : le héros y fait ainsi l'éloge de l'inconstance amou-

reuse, adopte des comportements contradictoires et décide d'avancer masqué.
La pièce, par ailleurs, joue sur de nombreux changements : les personnages changent de vêtements et parfois même de forme dans le cas du spectre. Ils sont presque toujours en mouvement dans des décors diversifiés et somptueux : un palais ouvert sur un jardin; un hameau de verdure avec une grotte au travers de laquelle on voit la mer; une forêt où l'on voit un mausolée entouré de verdure dont on découvre l'intérieur par un mouvement de machinerie; une pièce de la demeure de Don Juan; enfin, l'extérieur d'une ville proche de la forêt où se trouve le tombeau. Ces décors sont baroques par le fait qu'ils ouvrent des perspectives ou se modifient sous les yeux des spectateurs, comme à l'acte V où, dans un grand bruit de tonnerre, le sol s'ouvre et aspire Don Juan tandis que s'envole la statue du Commandeur.

RESSORTS DRAMATIQUES DU THÉÂTRE BAROQUE
L'action recourt fréquemment aux déguisements, aux usurpations d'identité, aux doubles personnalités.

Le classicisme

• Définition

Le *classicisme* est le nom donné par la critique artistique à certains traits de l'**esthétique imposée par Louis XIV** et son entourage entre les années 1661 et 1685. Il s'agit d'un phénomène spécifiquement français qui se manifeste par la concomitance de grandes réalisations administratives, scientifiques, philosophiques et artistiques. L'art, quel que soit son domaine, doit être **mis au service de l'exaltation de la grandeur du roi** et exprimer sa volonté d'ordre et de magnificence. Il doit arborer une certaine **sévérité** et donner une impression d'**ordre** et de **clarté**.

LA GRANDE COMÉDIE
La comédie d'intrigue est progressivement supplantée par la comédie de mœurs ou de caractère.

• Le classicisme en littérature

En littérature, on retrouve le même souci d'équilibre et d'harmonie. Dès le début du XVIIe siècle, les érudits tentent d'élaborer des principes cohérents

PLAIRE ET INSTRUIRE
« Il obtient tous les suffrages celui qui unit l'utile à l'agréable, et plaît et instruit en même temps » (Horace, *Art poétique*, III, 342-343).

pour guider la création artistique. Ils s'intéressent à la doctrine du philosophe grec Aristote et aux commentaires qui en avaient été faits par les humanistes au siècle précédent. Ils affirment la fonction utilitaire de l'art et sa visée intellectuelle et morale : l'art doit plaire mais aussi instruire et corriger les mœurs.

Le théâtre doit s'appliquer à présenter, d'une façon concentrée et émouvante, les passions qui ébranlent la raison. C'est bien le cas de *Dom Juan* où Molière s'interroge sur les raisons du comportement aberrant du héros et condamne le *« grand seigneur méchant homme »*, mais aussi les sottises et les petitesses humaines, et surtout l'hypocrisie religieuse, *« ce vice à la mode »*.

- **Des règles classiques plus ou moins respectées dans *Dom Juan***

À l'époque de Molière, l'inspiration de l'écrivain était reconnue comme nécessaire, mais devait être complétée par un important travail technique. Aussi des règles fondées sur la raison furent-elles édictées pour assurer la réussite des œuvres :

LES MODÈLES ANTIQUES
La tragédie, la comédie et le drame satirique antiques sont redécouverts par les humanistes. Ils seront imités à l'époque classique.

– **Pour plus d'efficacité, l'action devait être resserrée dans le temps et l'espace.** Celle de *Dom Juan* se déroule globalement en Sicile mais dans des lieux diversifiés. La règle est donc transgressée mais au profit d'une cohérence entre l'instabilité du héros et sa mobilité. Si l'action n'est pas totalement achevée en 24 heures, elle est pourtant concentrée sur les derniers moments du sursis accordé au personnage par la justice divine.

– **L'intrigue devait être unique pour plus de clarté.** Celle de *Dom Juan* n'est pas centrée sur un seul objectif mais elle est unifiée par l'escalade dans les provocations commises par le héros, le resserrement de la traque entreprise par ses victimes et la présence constante de Sganarelle.

– Comme le demandait le souci d'**une imitation raisonnée de la nature (vraisemblance)**, les personnages de la pièce sont moins des individus particuliers que des illustrations vivantes de diverses catégories sociales et de types de comportements.
– **Le souci de l'ordre et de l'harmonie président à la composition de la pièce.** L'équilibre entre la force du texte et l'effet des machines est sauvegardé.
– La **bienséance** est toujours respectée, que ce soit dans les conflits ou les relations amoureuses. Molière ne se laisse pas tenter par le mauvais goût dont faisaient preuve ses prédécesseurs dans la scène du souper avec la statue.
– Enfin, la langue des personnages est brillante, claire et habile mais sans virtuosité gratuite.

Molière respecte donc, dans *Dom Juan*, les grandes lignes de l'esthétique classique, sans toutefois se laisser contraindre. Cela ne l'empêche pas de recourir aux recettes appréciées du public d'un théâtre baroque spectaculaire qui conviennent ici tout particulièrement à la personnalité du héros et à la nature de l'intrigue.

LES RÈGLES DU THÉÂTRE CLASSIQUE
« Qu'en un lieu, qu'en un jour, un seul fait accompli / Tienne jusqu'à la fin le théâtre rempli » (Boileau, *Art poétique*, 1674).

6 Étude des personnages

I – Diversité sociale des personnages secondaires

Contrairement à une comédie classique où les personnages sont des bourgeois assistés de leurs domestiques, *Dom Juan* fait intervenir des nobles qui sont normalement des héros de tragi-comédie ou de comédie d'intrigue. Leur langage soutenu et leur comportement digne donnent une tonalité relativement sérieuse aux scènes où ils interviennent. L'acte II met en scène des paysans, ordinairement protagonistes de satires ou de farces ; leur simplicité et leur façon de parler en font des personnages comiques. Cette diversité sociale permet à l'auteur de varier les registres mais aussi de moduler la critique du héros.

➡ Les nobles

L'aristocratie, classe dominante à l'époque de Louis XIV, est représentée par plusieurs personnages qui mettent en lumière des traits différents de cette caste.

• Un père qui incarne l'honneur nobiliaire

Don Louis : *« la naissance n'est rien où la vertu n'est pas »* (IV, 4).

Don Louis considère que la supériorité sociale de sa caste se mérite par un comportement moral exemplaire. Cependant, la facilité avec laquelle il se laisse convaincre par son fils de sa conversion, pourtant peu crédible, laisse à penser qu'il tient surtout à sauver les apparences.

• Les frères d'Elvire

Don Carlos : *« Allons, mon frère : un moment de douceur ne fait aucune injure à la sévérité de notre devoir »* (III, 4).

Don Carlos et Don Alonse appartiennent à une famille déshonorée par l'enlèvement d'Elvire. Alonse représente l'orgueil bouillant décidé à venger l'affront dans le sang et n'écoutant que ce que lui dictent les valeurs de sa classe. Don Carlos, plus mesuré ou peut être moins téméraire, respecte davantage les règles sociales.

• **Le Commandeur**

On ignore les raisons précises du duel qui fut fatal au Commandeur. Mais Don Juan décrit ce dernier, à l'acte III, comme un vaniteux qui fit construire, de son vivant, un tombeau somptueux, un hypocrite qui, en vivant de façon modeste, a dissimulé sa véritable nature durant toute son existence. La statue de son tombeau dotée de pouvoirs surnaturels sera, cependant, l'instrument du châtiment de Don Juan ; elle symbolise la justice suprême, royale ou divine.

Don Juan à propos du Commandeur : *« Parbleu ! le voilà bon, avec son habit d'empereur romain ! »* (III, 5).

➠ Les gens du peuple

• **Le bourgeois**

Monsieur Dimanche est un marchand qui vient réclamer son dû. Sa présence dans la pièce a permis à certains metteurs en scène de lire, entre les lignes du dialogue, le conflit de classe qui aboutira à la Révolution. M. Dimanche détient l'argent qui manque à Don Juan mais n'est pas encore conscient du pouvoir qu'il lui donne et se laisse paralyser par le flot d'amabilités du héros. Il reste un personnage comique, intimidé et facilement éconduit. Cependant, il met en évidence un autre aspect de l'immoralité de Don Juan.

M. Dimanche, à propos de Don Juan : *« Il me fait tant de civilités et tant de compliments, que je ne saurais jamais lui demander de l'argent »* (IV, 3).

• **Les paysans et Francisque le pauvre**

Au XVIIe siècle, les paysans étaient considérés comme des êtres d'une nature inférieure, frustes et niais. Par ailleurs, eux-mêmes considéraient les nobles comme des êtres appartenant à un monde différent du leur, comme le révèle la description que Pierrot fait du costume de Don Juan. L'étanchéité des deux mondes se traduit aussi par la différence de langage malgré les efforts des uns et des autres pour les atténuer. Molière tire de ces lieux communs des effets comiques efficaces.

Pierrot : *« Oui, c'est le maître. Il faut que ce soit queuque gros, gros Monsieur, car il a du dor à son habit »* (II, 1).

II – Les personnages féminins

Principales victimes de Don Juan, les femmes sont représentées par trois personnages vivants et un spectre à silhouette féminine. Ce dernier peut symboliser toutes ses conquêtes bafouées qui attendent que justice soit rendue ou la Parque qui va couper le fil de la vie du héros.

Charlotte à Mathurine : *« Je suis celle qu'il aime, au moins »* (II, 4).

Mathurine à Charlotte : « C'est moi qu'il épousera » (II, 4).

➠ Une nature semblable

Bien que d'éducations différentes, la noble Elvire et les deux paysannes ont des traits communs :
– sensibles au charme physique et aux belles manières de Don Juan, elles sont aisément séduites ;
– crédules, elles se fient à une promesse de mariage sans garantie ;
– corruptibles, l'une se laisse enlever du couvent, une autre trahit son fiancé ;
– naïves, elles se croient aimées.

➠ Des particularités sociales

D'autres traits sont liés à leur classe sociale :
– Charlotte et Mathurine prouvent leur naïveté et leur ambition sociale en imaginant qu'un grand seigneur puisse tomber amoureux d'elles et les épouser, chose inconcevable au XVIIe siècle. La première ne perçoit pas l'ironie de Sganarelle qui, bien placé pour n'être pas dupe des propos de son maître, tente ensuite de les mettre en garde.
– Par sa décision de retourner au couvent, Elvire tente de racheter sa faute. S'agit-il d'un revirement vertueux exemplaire, qui, par contraste, souligne la perversité de Don Juan, ou d'un souci de sauver son honneur et celui de sa famille ?

Done Elvire : *« je suis revenue, grâces au Ciel, de toutes mes folles pensées »* (IV, 6).

III – Sganarelle

➠ Un valet à part

Sganarelle a, outre le nom, toutes les caractéristiques comiques du *zanni* de la *commedia dell'arte* :

peureux, toujours affamé, aiguillonné par l'intérêt... mais Molière, qui incarna le rôle, fait de ce personnage récurrent, drôle et grossier, un homme du peuple qui veut s'élever dans la société et le défenseur de valeurs et d'une certaine morale. D'ailleurs, Molière lui donne une importance exceptionnelle en le laissant en scène presque constamment en compagnie de Don Juan et en lui faisant prononcer la première et la dernière réplique de la pièce.

➠ Un personnage passif

Contrairement à d'autres valets, Sganarelle n'est pas l'organisateur de l'intrigue. Il ne fait que suivre les initiatives de son maître ou obéir à ses ordres. Il a parfois pitié des victimes du héros et s'attarde pour les mettre en garde mais est vite rappelé à l'ordre. Forcé de parler ou d'agir à sa place dans les situations délicates ou dangereuses, les persécutions qu'il endure révèlent la cruauté de Don Juan.

Sganarelle : *« il faut que je lui sois fidèle, en dépit que j'en aie : la crainte en moi fait l'office du zèle »* (I, 1).

➠ Un sot fasciné

Sans grande finesse, Sganarelle interprète cette intimité avec son maître comme une marque de considération et se risque parfois à une ébauche de discours moralisateur mais qui se transforme, à la moindre menace, en acquiescement servile. Quand Don Juan s'amuse à le laisser parler, il s'enflamme, mais sa défense de la morale et du bon sens est discréditée par sa crédulité et sa superstition.

Sganarelle : *« J'avais les plus belles pensées du monde, et vos discours m'ont brouillé tout cela »* (I, 2).

Il se prétend forcé de suivre ce maître pervers, mais l'audace et l'impudence de Don Juan l'impressionnent et il imite son cynisme face aux paysannes ou sa malhonnêteté face à M. Dimanche. Le dénouement punit sa complicité : il sera le seul à qui la mort de Don Juan ne profitera pas.

IV – Don Juan : le *« grand seigneur méchant homme »*

Don Juan vu par Sganarelle : *« un enragé, un chien, un diable, un Turc, un hérétique, qui ne croit ni Ciel, ni enfer, ni loup-garou, qui passe cette vie en véritable bête brute, en pourceau d'Épicure »* (I, 1).

➠ Un séducteur

Don Juan, chez Molière, diffère du dépravé sordide qu'était le personnage originel de la pièce espagnole. Il se contente de chercher à séduire des jeunes femmes honnêtes de toutes conditions par goût du défi et il est stimulé par l'obstacle plus que par la qualité de celles qu'il poursuit de ses assiduités. Séduisant, riche, distingué et beau parleur, il est également fin psychologue et sait charmer ses proies et venir à bout de leur méfiance. Il connaît de même leurs faiblesses et les corrompt à tout coup. Sa méthode est assez simple : il leur promet le mariage. Ses manœuvres, entravées par divers obstacles, échouent cependant.

➠ Un manipulateur

Don Juan parvient aussi à désamorcer les tentatives des hommes qui viennent lui demander des comptes sur son comportement et il les manipule tout autant que les femmes. Pour échapper à ce harcèlement sans rien changer à ses habitudes, il feint de renoncer à la débauche et d'entamer une soudaine conversion morale et religieuse.

Don Juan : *« L'hypocrisie est un vice à la mode et tous les vices à la mode passent pour vertus »* (V, 2).

➠ Un maître pervers

Don Juan joue sadiquement avec Sganarelle qu'il laisse s'enhardir quand rien ne presse ou pour se distraire mais qu'il expose aux dangers et qu'il terrorise par ses brutalités.

➠ Un rebelle provocateur

Don Juan ne respecte ni les individus, ni aucun engagement financier ou moral. Aucune crainte religieuse ne met un frein à ses désirs, et il laisse penser qu'il ne croit pas en Dieu.

Sganarelle est le témoin indispensable et l'auditeur privilégié qu'il s'amuse à choquer par ses éloges de l'infidélité et de l'hypocrisie ou ses insolences. Don Juan multiplie les provocations et s'enhardit à chaque fois devant l'absence de sanction. Il n'a que mépris pour les avertissements de tous ceux qui représentent la morale et dont il souligne la médiocrité ou l'hypocrisie. Don Juan est convaincu de sa supériorité et ne respecte personne : ni son père, ni les femmes, ni ses pairs, ni les morts.

➠ Une punition exemplaire

Chez Tirso de Molina, Don Juan est puni pour son inconduite amoureuse et ses parjures. Chez Dorimond et Villiers, il paie pour sa révolte contre son père et son pays. Molière enracine davantage son intrigue dans la réalité sociale de son temps et fait allusion aux débats religieux et à la cabale dont il est victime. En montrant la punition sévère d'un libertin de mœurs, il proclame sa moralité ; mais, en montrant que, sous la dévotion apparente, peut se cacher un monstre d'immoralité, il réplique à ses agresseurs.

Don Juan à Don Carlos : *« C'est le ciel qui le veut ainsi »* (V, 4).

Don Juan, personnage aussi inquiétant et dangereux que Tartuffe, est justement puni. Toutefois, il n'est pas exempt d'une certaine grandeur et dénonce aussi les perversions de son temps. La sévérité de la punition peut, dès lors, apparaître comme une concession aux normes morales et religieuses du moment.

V – La relation maître et valet

Don Juan et Sganarelle forment l'un des plus célèbres couples de maître et valet du théâtre. Leurs relations, complexes et contradictoires, structurent la pièce et contribuent à lui conserver une dimension comique.

Sganarelle : *« Je sais mon Don Juan sur le bout du doigt »* (I, 2).

➠ Une relation complexe et contradictoire

Sganarelle et Don Juan sont constamment ensemble sur scène. Le valet reste auprès d'un

Don Juan à Sganarelle : *« Bon ! voilà ton raisonnement qui a le nez cassé »* (III, 1).

maître qui à la fois le persécute et l'impressionne, et le maître se sert de son valet comme d'un faire-valoir. Quand Sganarelle essaie de culpabiliser Don Juan, il joue alors le rôle tenu dans d'autres pièces par des frères, beaux-frères et amis raisonnables, mais la faiblesse de son argumentation le rend ridicule. Quand Don Juan le laisse parler, il se croit considéré alors qu'il est simplement le témoin dont l'immoral, toujours en représentation, a besoin. Don Juan met son valet dans des situations impossibles pour détourner de lui le danger. La sottise de Sganarelle conforte le mépris de son maître pour ses semblables. Victime persécutée, ridicule dans sa volonté de se confronter à son maître, Sganarelle pourrait être pathétique si, en même temps, il ne profitait pas de la situation, restant attaché à Don Juan surtout par intérêt.

➠ Une relation qui évolue

Sganarelle à propos de Don Juan : *« Ah ! quel homme ! quel homme »* (V, 2).

Convention théâtrale de la comédie, la relation maître/valet évolue avec le temps. À partir du XVIIIe siècle, l'inversion des statuts dans *L'Île des esclaves* de Marivaux ou l'aplomb du valet devenu le personnage principal du *Mariage de Figaro* de Beaumarchais expriment les nouvelles revendications sociales de la société. En 1838, le Ruy Blas de Victor Hugo, instrument de la machination de son maître, parvient cependant à exprimer la révolte du peuple et ses aspirations égalitaires. Au milieu du XXe siècle, Jean Genet met en scène des bonnes qui veulent assassiner leur patronne, tandis que le dramaturge allemand Bertolt Brecht illustre la lutte des classes à travers les relations ambivalentes de maître Puntila avec son valet Matti. L'inversion des rôles ne triomphe qu'avec le film de Joseph Losey *The Servant* (1964), tiré d'une nouvelle de Robin Maugham publiée en 1948, où le maître est à la merci de son serviteur.

Portfolio

LES TROIS ÉTAPES DE LECTURE D'UNE IMAGE FIXE

1. Je découvre

• De quel type d'image s'agit-il : est-elle produite manuellement comme un dessin ou mécaniquement comme une photographie ?
• Qui l'a réalisée : un artiste, une institution, une entreprise, etc. ? à destination de quel type de public ?
• Dans quel contexte apparaît-elle : dans la rue, dans un musée, dans la presse, etc. ?
• Quelle est sa fonction : outre d'être un moyen d'expression personnelle de son auteur, l'image a-t-elle pour fonction de nous convaincre, de nous pousser à agir, de nous émouvoir ou de nous informer ?

2. J'observe

• Ce que montre l'image (un lieu, des objets, des personnages, une scène, etc.) et comment elle le montre.
• Le cadrage, c'est-à-dire le découpage subjectif opéré par l'auteur sur ce qu'il voit.
• Le point de vue d'où le sujet représenté est saisi, plus ou moins distant, plus ou moins surplombant.
• Les couleurs ou l'échelle de contrastes entre le noir et le blanc.
• Les lignes de constructions oblique ou orthogonale, droite, courbe ou anguleuse, et des formes dans lesquelles s'inscrivent les éléments représentés. L'agencement de ces éléments peut induire une circulation particulière du regard.
• La composition : les éléments représentés sont souvent répartis sur la surface de l'image de façon significative entre les parties droite et gauche, inférieure et supérieure, et selon différents plans en profondeur.

3. J'interprète

• Quels effets produisent ces caractéristiques ?
• Quel message communiquent-elles ?

N.B. : Vous devez tenir compte du fait que vous n'avez affaire, le plus souvent, qu'à des reproductions qui modifient la taille réelle de l'image, le contexte de sa présentation et votre perception de sa matière.

L'affiche du film *Don Juan* de Jacques Weber

Affiche promotionnelle
du film *Don Juan* de Jacques Weber (1998).
Document 2 au verso de la couverture.

Le titre du film évoque un personnage littéraire, héros de tant d'histoires que son nom est devenu un nom commun.

➥ Ce que l'affiche dit du film

- **Un univers romantique**

L'image du cavalier en costume du XVIIe siècle suggère un film de cape et d'épée. Les vagues, le ciel orageux, le cheval galopant contre le vent, auquel semblent aussi résister les lettres du titre, créent une atmosphère mouvementée et dramatique.

- **Une œuvre classique**

La police du titre imitant une écriture à la plume évoque une œuvre classique. Le riche harnachement de la monture et la prestance du cavalier annoncent une histoire se déroulant à une époque et dans un milieu social prestigieux propres à faire rêver, tout comme le physique toujours avantageux de l'acteur.

- **Un héros indépendant**

L'ocre jaune du titre contraste avec l'harmonie froide des bleus et des verts et trouve un écho assourdi dans le sable de la plage. Il fait penser à l'éclair qui striera bientôt le ciel d'orage. Il symbolise aussi la flamme qui anime le personnage. Le jaune est également, selon l'historien des couleurs Michel Pastoureau, une couleur de mauvais augure.

Le paysage marin vide, l'absence d'éléments contextuels permettant de situer l'action donnent une valeur symbolique à la chevauchée qui s'effectue, d'ailleurs, à rebours du sens habituel de la progression dans les images. Le cavalier rebelle chevauche vers son destin.

La ligne d'horizon, rencontre du ciel et de la terre qui prend ici une valeur symbolique, est partiellement masquée par des nuages qui s'assombrissent au premier plan à l'aplomb du personnage. Ces nuages envahissent le dernier coin de ciel bleu. Ils occupent les deux tiers de l'image, mais le cavalier ignore la menace céleste, qui plombe la couleur de la mer et semble le cerner.

- **Une interprétation originale**

Le spectateur, qui connaît la pièce de Molière, dont le costume du personnage évoque l'époque, est intrigué : Don Juan est souvent imaginé jeune du fait de son impétuosité et de sa soif de jouissance. Or, ici, c'est un homme d'âge mur aux cheveux gris qui tient le rôle. Aucun élément dans l'image n'évoque la comédie, si ce n'est la mention du comédien et humoriste Michel Boujenah. Ces caractéristiques annoncent une vision romantique et philosophique du héros d'une pièce classique.

➡ Ce que l'affiche dit de l'auteur du film

- **La valeur culturelle du film**

La présence d'un sponsor national ❶ sur l'affiche, en l'occurrence France Inter, indique que le film se veut une œuvre sérieuse et qualitative. Ce gage de qualité semble confirmé par la beauté de l'image. Il s'agit, comme c'est souvent le cas pour les affiches de cinéma, de l'agrandissement d'un photogramme du film. Il a été choisi pour sa ressemblance avec les tableaux du XVIIe siècle qui tient à l'harmonie des couleurs et à la représentation du ciel. La prise de vue frontale du cheval au galop rappelle aussi les tableaux du début du XIXe siècle. L'affiche annonce un spectacle en costumes d'époque, tourné en décors naturels, d'une haute tenue esthétique, et proclame sa valeur culturelle.

- **La notoriété des acteurs et du réalisateur**

Le texte ajoute un autre argument de vente avec la présence, sur l'affiche, de noms d'acteurs connus. L'ordre et la taille de ces noms correspondent à l'importance de leur rôle. L'affiche indique surtout que le réalisateur du film, Jacques Weber, est aussi l'auteur du scénario et l'interprète principal, puisque son nom figure en premier dans la distribution et qu'il est représenté sur l'image sous le titre qui désigne le héros de l'histoire.

- **L'intention du réalisateur**

Don Juan est le sujet de nombreuses œuvres littéraires et, aucun nom d'auteur n'étant mentionné, on pourrait penser qu'il s'agit ici d'une nouvelle version imaginée par Jacques Weber. Mais les caractéristiques de l'image et la connaissance de la carrière théâtrale classique de ce célèbre comédien peuvent nous inciter à penser qu'il s'agit d'une adaptation filmée de la pièce de Molière dont l'image suggère les tonalités dramatique et romantique.

Affiche polonaise de la pièce *Dom Juan*

Affiche promotionnelle de la représentation de *Dom Juan* au théâtre de Gdańsk, réalisée par Tomasz Bogusławski en 2004. Document 3 au verso de la couverture.

Au milieu du siècle dernier s'est développée, en Pologne, une école d'affichistes très originaux qui utilisaient ce média pour contourner la censure. Tomasz Bogusławski, qui a réalisé de nombreuses affiches pour le théâtre Rekwizytornia de Gdańsk, en fait partie.

➥ Ce que l'affiche dit de la représentation

Il faut imaginer cette affiche placardée dans les rues. Elle accroche par son rouge vif, sa simplicité et son originalité. Un étrange objet au centre, saisi d'un point de vue frontal, semble flotter devant nos yeux. Il fait attendre une mise en scène singulière.

- **La typographie du texte**

La police gothique utilisée pour le titre de la pièce redouble l'impression d'archaïsme créée par l'objet et annonce ainsi une œuvre classique. Elle reprend la couleur noire de l'objet et sa forme. Entre les deux mots du titre, on voit le dessin d'un cœur flambant qui pourrait être son ombre lointaine. L'organisation du texte et le jeu des deux polices aux styles contrastés, les lignes séparatrices interrompues par le *J* majuscule créent une succession de plans qui donne un effet de profondeur et augmente l'étrangeté de l'image qui intrigue sur la mise en scène qu'elle présente.

- **La photographie**

L'image représente un briquet ancien à essence et à mèche d'étoupe en forme de cœur et dont le métal du réservoir semble gainé de cuir noir. Photographié de près et présenté à hauteur de nos yeux, l'objet apparaît surdimensionné et presque menaçant, d'autant plus que sa grande flamme, sa matière et sa forme générale font penser à la représentation conventionnelle d'une bombe. L'objet est aussi insolite par la forme de cœur, qui évoque la féminité, tandis que le briquet de fonte évoque plutôt un usage masculin.
L'objet est légèrement éclairé de face, mais c'est la grande flamme dorée qui semble être la seule source de lumière dans l'image. Elle fait ressortir le texte

relégué dans l'angle du cadre et donne une sensation de chaleur et de vie en éclaircissant le rouge vers l'orange. L'affiche, de manière symbolique, annonce une mise en scène intrigante qui se propose d'élucider les mystères d'un classique dont l'intrigue mêle séduction et danger.

➠ Ce que l'affiche dit de la pièce

L'association du noir, du rouge et de l'or produit un effet esthétique et rappelle les couleurs des salles de théâtre à l'italienne. En outre, le noir évoque la violence et la mort ; le jaune d'or, la chaleur et la brûlure, l'ardeur des sentiments ; le fond rouge incandescent est la couleur de la passion destructrice et du sang versé, celui du Commandeur et des autres victimes du héros.

La flamme qui éclaire le nom de Don Juan comme pour percer l'énigme du personnage figure aussi l'ardeur de son désir de jouissance et l'instrument de son châtiment. Le cœur de métal gainé de cuir symbolise la dureté et l'insensibilité du héros. Ce briquet allumé est aussi l'image d'un cœur qui enflamme celui des autres ou se consume. Il figure Don Juan, à la fois ardent et cruel, ou les femmes enflammées par le séducteur. L'image est une représentation symbolique de la pièce et de son personnage principal et met en évidence les caractéristiques de l'œuvre révélées par cette mise en scène : le mystère, la violence, la cruauté, la passion, la menace.

➠ Ce que l'affiche dit du lieu de la représentation

Le but d'une affiche est de promouvoir une pièce et d'attirer le public dans un théâtre particulier dont elle doit refléter l'identité. Tomasz Bogusławski choisit, pour promouvoir ce spectacle, un message essentiellement porté par l'image et dont le texte est réduit à son minimum. En effet, la notoriété du théâtre Rekwizytornia de Gdańsk rend inutile toute information pratique. Sa réputation est telle qu'il n'est pas même nécessaire de mentionner les noms des acteurs et du metteur en scène. Il suffit d'indiquer le nom de l'auteur et le titre d'un grand classique de la dramaturgie internationale pour séduire un public de connaisseurs.

Mise en scène de *Dom Juan* par Brigitte Jaques

Photographie de Pascal Victor, théâtre de l'Odéon, Paris, 2000. Redjep Mitrovitsa (Dom Juan) et Bruno Sermonne (Sganarelle), dans la mise en scène de Brigitte Jaques (III, 5). Document 4 au verso de la couverture.

Brigitte Jaques est metteur en scène, directrice de compagnie et professeur d'art dramatique.

➡ Les caractéristiques de la mise en scène de Brigitte Jaques

- **Le décor**

L'éclairage et la couleur du fond de scène suggèrent le moment de l'action. Les ombres irrégulières projetées sur le sol rappellent les effets de lumière à travers le feuillage dans une forêt. Brigitte Jaques a choisi de laisser la scène quasiment vide d'objets pour donner plus de force à ceux qui s'y trouvent. Elle concentre ainsi l'attention du spectateur sur le texte et le jeu des acteurs, suggère des émotions et sollicite l'imagination. Cette option rend aussi plus acceptable, pour le spectateur, l'irruption du surnaturel.

- **Le tombeau**

Brigitte Jaques choisit de mettre sur scène un gisant, nom donné aux statues qui ornaient au Moyen Âge les tombeaux des rois et des grands aristocrates et les représentaient comme endormis sur leur tombe. Elle conserve, cependant, le style antique évoqué dans le texte de Molière. Ce choix d'un monument horizontal permet à Don Juan de s'appuyer négligemment sur les pieds du gisant, manifestant son irrespect pour la solennité du lieu et envers le défunt.

- **Le crâne**

Le crâne humain que Don Juan tient dans la main n'est pas évoqué dans le texte de Molière (mais rappelle une célèbre scène dans *Hamlet* de William

Shakespeare). La mise en contraste de la majesté de la sculpture du Commandeur et de l'anonymat du crâne auquel il est désormais réduit évoque les vanités, peintures du XVIIe siècle invitant à réfléchir sur les grandeurs illusoires de la vie que la mort anéantit.

• **Les costumes**

Le cuir noir des gants et des cuissardes de Don Juan s'oppose à la blancheur de sa tenue et peut signifier l'ambivalence du personnage. La chemise à jabot et poignets, typique du XVIIe siècle, est élégante mais la tenue est négligée : Don Juan ne porte pas de pourpoint ni de perruque. Ce choix suggère le laisser-aller ou l'anticonformisme, un personnage pris dans une action haletante ou une situation érotique. Le costume de Sganarelle a les mêmes caractéristiques, en plus modeste. Le valet n'est pas non plus sanglé dans une livrée de domestique. Il peut ainsi apparaître comme un double dégradé de son maître.

• **Le jeu des acteurs**

La posture de Don Juan est une insulte faite au Commandeur, à laquelle la statue répond par un geste dérisoire différent de celui évoqué dans le texte de Molière. Don Juan nargue la mort avec arrogance.

➠ Les effets du point de vue adopté par le photographe

• **Le cadrage**

Le point de vue plus rapproché que celui du public, obtenu par l'utilisation d'un zoom, privilégie les expressions des visages plutôt que l'effet général de la scène.

La vue frontale souligne l'opposition entre le côté gauche, où s'exprime l'effet des croyances effrayantes autour de la mort, et le côté droit de l'image, qui montre le calme propre à la mise à distance et à la rationalisation. Elle met en évidence le contraste entre la superstition avilissante de Sganarelle et le matérialisme fier de Don Juan.

• **La composition**

La photographie saisit le moment où les lignes obliques des bras de Don Juan et de celui de la statue convergent vers le crâne. Le regard du spectateur guidé par celui des protagonistes y aboutit également. La mort est donc l'enjeu de ce moment de la pièce. Le mouvement et l'emphase des gestes figés par la prise de vue ainsi que les couleurs des personnages apparentent aussi la scène à une sculpture du XVIIe siècle – ce qui souligne l'esthétique de la mise en scène.

Mise en scène de *Dom Juan* par Roger Planchon

Photographie de Philippe Coqueux, théâtre de l'Odéon, Paris, 1981.
Philippe Avron (Sganarelle) dans la scène 6 de l'acte V de *Dom Juan* mis en scène par Roger Planchon.
Document 6 au verso de la couverture.

Roger Planchon (1931-2009), metteur en scène et directeur de théâtre, a monté parallèlement en 1981 *Dom Juan* de Molière et *Athalie*, tragédie de Racine, pour proposer une réflexion sur la religion.

➥ Analyse de la mise en scène

- **Décor et éclairage**

Le décor du fond de scène est une peinture d'un ciel nuageux éclairé par une lumière rose violacée. Elle évoque les dernières lueurs d'un soleil déjà passé sous l'horizon en bas à droite de l'image. Le ciel éclaire faiblement de biais sept formes humaines flottantes ❶ et ❷. La lumière dramatise leur présence par un effet de contre-jour. Un projecteur diamétralement opposé éclaire en blanc le personnage assis sur le cercueil, plus puissamment que ne pourraient le faire les bougies allumées mais sans détruire l'effet de clair-obscur qui règne sur la scène et crée une atmosphère funèbre.

- **Personnages**

6 figures masculines surdimensionnées et disproportionnées (2 partiellement cachées) occupent l'arrière-plan. Devant elles, on devine le buste d'une septième figure ❷ beaucoup plus grande, dont la taille est en rapport avec celle du cercueil qui occupe le premier plan et sur lequel Sganarelle est assis. Il paraît, de ce fait, minuscule ; les jambes dans le vide, il ressemble à un enfant ou une marionnette. Il résulte de cette organisation la sensation de la présence écrasante du surnaturel.
Sur un plan intermédiaire, une rangée de personnages voilés de noir ❸ crée une barrière entre le monde réel dans lequel se trouve Sganarelle et le monde surnaturel. Ils peuvent figurer les juges terrestres du comportement du héros.

- **Objets**

Un crâne et un linge très blanc ❹, linceul ou nappe, sont posés sur le cercueil, ainsi que 7 bougies allumées évoquant à la fois la veillée funèbre et

le repas auquel la statue a convié Don Juan. Leur nombre est identique à celui des spectres, dont les costumes font penser à des capes de guerriers ou des tenues monacales ❸. Le chiffre 7 symbolise les ensembles parfaits, terrestres et célestes, et évoque, pour cela, l'ordre moral. Les figures symbolisent 7 victimes de Don Juan qui attendent réparation.
Sganarelle porte un costume correspondant à la mode austère du Siècle d'or espagnol où le noir domine. Ce choix accentue la suggestion de la mort, du deuil, de la pénitence et du jugement.

➥ Les effets du point de vue adopté par le photographe

- **Le cadrage**

Le cadrage intègre les objets posés sur le cercueil, qui renvoient à ceux que l'on assemblait sur des tableaux destinés à inciter au renoncement nécessaire au salut de son âme.

- **Le plan d'ensemble**

Le plan montre le personnage en situation. Le cadrage est basé sur les spectres et décentre légèrement Sganarelle sur la gauche et vers le bas. Les lignes partant de leur tête convergent sur sa propre tête. Il apparaît seul et fragile, cerné de tous côtés par la mort, d'autant plus que son corps est inscrit dans un angle formé par la ligne du cercueil et celle qui part de la tête du spectre de droite. La scène est photographiée en contre-plongée (par-dessous) – ce qui amplifie la disproportion écrasante des spectres et l'effet angoissant de suspension dans le vide du valet surplombé par cette menace. On voit Sganarelle comme si l'on était un autre acteur sur scène. Cette proximité accroît notre empathie avec le personnage, car son expression profondément désespérée est beaucoup plus perceptible.

- **La construction**

La stabilité des lignes horizontales et verticales est contrariée par la prise de vue légèrement de biais qui donne un sentiment d'instabilité et de déséquilibre correspondant bien au désarroi de Sganarelle. Les choix techniques du photographe soulignent l'option tragique de la mise en scène qui fait de Sganarelle, abandonné et menacé d'être damné, la dernière victime de Don Juan. Il semble incapable de proférer sa plainte dérisoire : *« Mes gages ! mes gages, mes gages ! »*

Don Juan et le Commandeur
par Simon Guérin (1843).

8 Prolongements

Don Juan incarne, avec Faust, le mythe moderne le plus célèbre d'Occident. Il a été abordé dans de nombreux domaines artistiques et pas uniquement au théâtre. Quant à la pièce de Molière, tous les grands metteurs en scène du XXe siècle s'y sont mesurés…

DOM JUAN ET LA COMÉDIE-FRANÇAISE

La création de *Dom Juan* à la Comédie-Française date de 1680, dans la version de Thomas Corneille. Elle sera jouée 567 fois, avant qu'une nouvelle création, respectant enfin le texte original en prose, soit programmée le 15 janvier 1847, date anniversaire de l'auteur. La mise en scène fut confiée à Philoclès Régnier, spécialiste de Molière, et les costumes à Achille Devéria. Le jeu des acteurs Geffroy et Samson fut accompagné d'extraits du *Don Giovanni* et du *Requiem* de Mozart. La pièce fut un triomphe.

« *Le romantisme s'empare du mythe de Don Juan parce qu'il est lié à une réaction individuelle, héroïque et libre face au monde. Il devient alors un personnage solitaire, mélancolique, rêveur et réprouvé, un grand rebelle, sorte d'ange déchu.* […] *sa grandeur tragique réside dans une volonté d'affrontement presque luciférienne. Dans cette optique, la punition n'est pas forcément synonyme de défaite* »
Françoise Chatelain, professeur.

« Dom Juan, *c'est l'histoire d'un libertin, d'un homme résolument traître à sa classe, et progressiste, qui vit en contradiction entre sa morale et sa situation sociale, et travaille à l'érosion du vieux monde féodal.* […] *Au lieu d'être un immoral triomphant, il est une sorte d'intellectuel qui* […], *à la fin, renonce et préfère se changer, lui.* »
Patrice Chéreau, metteur en scène.

DON GIOVANNI

Le sujet a inspiré Mozart qui composa un célèbre opéra en deux actes : *Don Giovanni*. Le livret, en italien, fut écrit par son habituel collaborateur, le poète Lorenzo da Ponte. L'œuvre fut jouée à Prague le 29 octobre 1787.
Qualifié d'« *opéra des opéras* » par le compositeur allemand Richard Wagner, *Don Giovanni* connaît un succès mondial dont s'est emparé le cinéma, avec l'adaptation en décors naturels de Joseph Losey (1979) et le biopic *Amadeus* de Miloš Forman (1984) qui en reprend la scène du Commandeur.

1947 : L'ANNÉE DU RENOUVEAU

C'est Louis Jouvet qui, en 1947, relança l'intérêt autour de *Dom Juan* par sa mise en scène au théâtre de l'Athénée. Selon Agathe Sanjuan, conservatrice-archiviste de la Comédie-Française, cette mise en scène « *contribua à complexifier le rôle de Don Juan et à donner un nouveau regard sur une pièce aux enjeux métaphysiques. Il redonnait une place au personnage de Sganarelle qui était largement passé au second plan dans les interprétations de la Comédie-Française* ».

DON JUAN 73

En 1973, le réalisateur Roger Vadim transpose le mythe dans les années 1970 et prête à son Don Juan les traits du sex-symbol féminin de l'époque : Brigitte Bardot !

POSTÉRITÉ

Dans sa pièce de théâtre *La Nuit de Valognes* (1989), Éric-Emmanuel Schmitt imagine le procès de Don Juan mené par d'anciennes conquêtes.

SUR LA TOILE

La ville de Pézenas, où Molière a séjourné, anime le site toutmoliere.net. L'importance de la bibliographie sur *Dom Juan* montre l'intérêt suscité par l'œuvre et le mythe.
Le site doc-plus.fr/DomJuan.htm récapitule les principales mises en scène et adaptations de la pièce.
Le site cinetrafic.fr propose 11 adaptations cinématographiques de la pièce aux tonalités variées (recherchez Don Juan, puis cliquez sur « Listes »).
Enfin, la Comédie-Française a mis en ligne une base documentaire exceptionnelle : www.comedie-francaise.fr (histoire-et-patrimoine).

CONSEILS de LECTURE

- Christian Biet, *Don Juan, Mille et trois récits d'un mythe*, coll. « Découvertes », Gallimard, 1998 : un témoignage du caractère inépuisable du mythe.
- Jean Rousset, *Le Mythe de Don Juan*, Armand Colin, 2012 : une étude majeure du mythe par l'un des grands critiques littéraires du XXe siècle.
- Georges Forestier, *Molière*, Bordas, 1990 : Molière vu par l'un de ses plus grands spécialistes.

Dossier spécial BAC

1 Sujets d'écrit

2 Sujets d'oral

SUJET 1

Texte A : Molière, *Le Tartuffe*

ORGON

1 Mon frère, ce discours sent le libertinage :
Vous en êtes un peu dans votre âme entiché[1] ;
Et comme je vous l'ai plus de dix fois prêché,
Vous vous attirerez quelque méchante affaire.

CLÉANTE

5 Voilà de vos pareils le discours ordinaire :
Ils veulent que chacun soit aveugle comme eux.
C'est être libertin que d'avoir de bons yeux,
Et qui n'adore pas de vaines simagrées
N'a ni respect ni foi pour les choses sacrées.
10 Allez, tous vos discours ne me font point de peur :
Je sais comme je parle, et le Ciel voit mon cœur.
De tous vos façonniers[2] on n'est point les esclaves.
Il est de faux dévots ainsi que de faux braves ;
Et comme on ne voit pas qu'où l'honneur les conduit
15 Les vrais braves soient ceux qui font beaucoup de bruit,
Les bons et vrais dévots, qu'on doit suivre à la trace,
Ne sont pas ceux aussi qui font tant de grimace.

Molière, *Le Tartuffe,* extrait de la scène 5 de l'acte I, 1664.

1. entiché : moralement corrompu. **2. façonniers** : gens qui font des manières.

Texte B : Molière, *Dom Juan*

1 DON JUAN – […] Tous les autres vices des hommes sont exposés à la censure et chacun a la liberté de les attaquer hautement, mais l'hypocrisie est un vice privilégié, qui, de sa main, ferme la bouche à tout le monde, et jouit en repos d'une impunité souveraine. On lie, à
5 force de grimaces, une société étroite avec tous les gens du parti. Qui en choque un, se les jette tous sur les bras ; et ceux que l'on

sait même agir de bonne foi là-dessus, et que chacun connaît pour être véritablement touchés, ceux-là, dis-je, sont toujours les dupes des autres ; ils donnent hautement dans le panneau des grimaciers, et
10 appuient aveuglément les singes de leurs actions. Combien crois-tu que j'en connaisse qui, par ce stratagème, ont rhabillé adroitement les désordres de leur jeunesse, qui se sont fait un bouclier du manteau de la religion, et, sous cet habit respecté, ont la permission d'être les plus méchants hommes du monde ? On a beau savoir leurs intrigues
15 et les connaître pour ce qu'ils sont, ils ne laissent pas pour cela d'être en crédit parmi les gens ; et quelque baissement de tête, un soupir mortifié, et deux roulements d'yeux rajustent dans le monde tout ce qu'ils peuvent faire. C'est sous cet abri favorable que je veux me sauver, et mettre en sûreté mes affaires. Je ne quitterai point mes douces
20 habitudes ; mais j'aurai soin de me cacher et me divertirai à petit bruit. Que si je viens à être découvert, je verrai, sans me remuer, prendre mes intérêts à toute la cabale, et je serai défendu par elle envers et contre tous. Enfin c'est là le vrai moyen de faire impunément tout ce que je voudrai. Je m'érigerai en censeur des actions d'autrui, jugerai
25 mal de tout le monde, et n'aurai bonne opinion que de moi. Dès qu'une fois on m'aura choqué tant soit peu, je ne pardonnerai jamais et garderai tout doucement une haine irréconciliable. Je ferai le vengeur des intérêts du Ciel, et, sous ce prétexte commode, je pousserai mes ennemis, je les accuserai d'impiété, et saurai déchaîner contre eux
30 des zélés indiscrets, qui, sans connaissance de cause, crieront en public contre eux, qui les accableront d'injures, et les damneront hautement de leur autorité privée. C'est ainsi qu'il faut profiter des faiblesses des hommes, et qu'un sage esprit s'accommode aux vices de son siècle.

Molière, *Dom Juan*, extrait de la scène 2 de l'acte V, 1665.

Texte C : Jean de La Bruyère, *Les Caractères*

1 [Si Onuphre] marche par la ville, et qu'il découvre de loin un homme devant qui il est nécessaire qu'il soit dévot, les yeux baissés, la démarche lente et modeste, l'air recueilli lui sont familiers : il joue son rôle. S'il entre dans une église, il observe d'abord de qui
5 il peut être vu ; et selon la découverte qu'il vient de faire, il se met à genoux et prie, ou il ne songe ni à se mettre à genoux ni à prier.

Arrive-t-il vers lui un homme de bien et d'autorité qui le verra et qui peut l'entendre, non seulement il prie, mais il médite, il pousse des élans et des soupirs ; si l'homme de bien se retire, celui-ci, qui le voit partir, s'apaise et ne souffle pas. Il entre une autre fois dans un lieu saint, perce la foule, choisit un endroit pour se recueillir, et où tout le monde voit qu'il s'humilie ; s'il entend des courtisans qui parlent, qui rient, et qui sont à la chapelle avec moins de silence que dans l'antichambre, il fait plus de bruit qu'eux pour les faire taire ; il reprend sa méditation, qui est toujours la comparaison qu'il fait de ces personnes avec lui-même, et où il trouve son compte. Il évite une église déserte et solitaire, où il pourrait entendre deux messes de suite, le sermon, vêpres et complies[1], tout cela entre Dieu et lui, et sans que personne lui en sût gré : il aime la paroisse, il fréquente les temples où se fait un grand concours[2], on n'y manque point son coup, on y est vu. Il choisit deux ou trois jours dans toute l'année, où à propos de rien il jeûne ou fait abstinence ; mais à la fin de l'hiver il tousse, il a une mauvaise poitrine, il a des vapeurs, il a eu la fièvre : il se fait prier, presser, quereller pour rompre le carême[3] dès son commencement, et il en vient là par complaisance.

Jean de La Bruyère, *Les Caractères*,
chap. XIII (« De la mode »), 24 (extrait), 1688.

1. vêpres et complies : offices religieux de l'après-midi et du soir. **2. un grand concours** : une grande affluence. **3. carême** : période de jeûne prescrite par le catholicisme.

Texte D : Choderlos de Laclos, *Les Liaisons dangereuses*

LETTRE 81

LA MARQUISE DE MERTEUIL AU VICOMTE DE VALMONT.

[...] Entrée dans le monde dans le temps où, fille[1] encore, j'étais vouée par état au silence et à l'inaction, j'ai su en profiter pour observer et réfléchir. Tandis qu'on me croyait étourdie[2] ou distraite, écoutant peu à la vérité les discours qu'on s'empressait à me tenir, je recueillais avec soin ceux qu'on cherchait à me cacher.

Cette utile curiosité, en servant à m'instruire, m'apprit encore à dissimuler ; forcée souvent de cacher les objets de mon attention aux yeux de ceux qui m'entouraient, j'essayai de guider les miens à mon gré ;

j'obtins dès lors de prendre à volonté ce regard distrait que vous avez loué si souvent. Encouragée par ce premier succès, je tâchai de régler de même les divers mouvements de ma figure. Ressentais-je quelque chagrin, je m'étudiais à prendre l'air de la sérénité, même celui de la
15 joie; j'ai porté le zèle jusqu'à me causer des douleurs volontaires, pour chercher pendant ce temps l'expression du plaisir. Je me suis travaillée avec le même soin et plus de peine, pour réprimer les symptômes d'une joie inattendue. C'est ainsi que j'ai su prendre, sur ma physionomie, cette puissance dont je vous ai vu quelquefois si étonné.
20 J'étais bien jeune encore, et presque sans intérêt : mais je n'avais à moi que ma pensée, et je m'indignais qu'on pût me la ravir ou me la surprendre contre ma volonté. Munie de ces premières armes, j'en essayai l'usage : non contente de ne plus me laisser pénétrer, je m'amusais à me montrer sous des formes différentes; sûre de mes
25 gestes, j'observais mes discours; je réglai les uns et les autres, suivant les circonstances, ou même seulement suivant mes fantaisies : dès ce moment, ma façon de penser fut pour moi seule, et je ne montrai plus que celle qu'il m'était utile de laisser voir.
Ce travail sur moi-même avait fixé mon attention sur l'expression
30 des figures et le caractère des physionomies; et j'y gagnai ce coup d'œil pénétrant, auquel l'expérience m'a pourtant appris à ne pas me fier entièrement; mais qui, en tout, m'a rarement trompée.
Je n'avais pas quinze ans, je possédais déjà les talents auxquels la plus grande partie de nos Politiques doivent leur réputation, et je
35 ne me trouvais encore qu'aux premiers éléments de la science que je voulais acquérir.

Choderlos de Laclos, *Les Liaisons dangereuses*, extrait de la lettre 81, 1782.

1. fille : jeune fille. **2. étourdie** : irréfléchie.

Sujets du bac

➡ Question

Comparez les différents points de vue sur l'hypocrisie exprimés dans les textes.

➡ Commentaire

Vous ferez le commentaire du texte de Jean de La Bruyère (texte C).

➡ Dissertation

Don Juan et Mme de Merteuil font un éloge différent de l'hypocrisie, Cléante et La Bruyère en font le procès. Ces diverses manières d'aborder ce comportement social, au théâtre, dans un roman et dans un texte critique, visent-elles à susciter chez le lecteur des réactions semblables ? Pour répondre à cette question, vous vous appuierez sur les textes du corpus ainsi que sur les œuvres que vous avez étudiées ou lues.

➡ Sujet d'invention

Écrivez le dialogue de deux adolescents d'aujourd'hui dont un se déclare séduit par les avantages de l'hypocrisie et a décidé de la mettre en pratique.

SUJET 2

Texte A : William Shakespeare, *Hamlet*

1 LE SPECTRE. [...] Écoute, Hamlet : on a fait croire que j'avais été piqué par un serpent pendant que je dormais dans mon verger. Par ce récit trompeur, l'oreille entière du Danemark a été grossièrement abusée. Mon noble enfant, c'est le serpent qui m'a mordu qui porte
5 aujourd'hui ma couronne.

HAMLET. Ô mon âme prophétique ! Mon oncle !

LE SPECTRE. Oui, cette bête adultère et incestueuse, par des sortilèges de son cru, des dons perfides – maudits soient l'esprit et les dons qui ont ainsi pouvoir de séduction –, sut gagner à sa lubricité honteuse
10 le vouloir de ma reine aux vertueux semblants. Ô Hamlet, quelle déchéance ce fut là : me quitter, moi, dont l'amour avait la dignité du serment même que je lui fis le jour des noces, pour tomber dans les bras d'un misérable dont les dons naturels semblaient des mendiants près des miens ! Tout comme la vertu ne se laisse émouvoir
15 quand la volupté pour la séduire emprunterait l'aspect du Ciel, ainsi la luxure, qu'on la marie avec un ange, si céleste que soit la couche, elle saura s'y satisfaire et s'y repaître d'immondices. Mais hâtons-

nous. Déjà je crois sentir le souffle du matin. Je dormais donc dans mon verger, après-midi selon ma coutume ; ton oncle se glissa dans ma sieste confiante, porteur d'une fiole pleine du suc de la maudite jusquiame, que dans le porche de mon oreille il vida – liqueur lépreuse, hostile au sang, qui se répand à travers les organes et par toutes les allées du corps, prompte autant que le vif-argent. Avec une efficacité soudaine, comme un acide dans du lait, elle caille et fige le sang subtil et généreux. Ainsi fit-elle ; et pareil à celui de Lazare, mon corps lisse se couvrit aussitôt d'une écorce dartreuse, squame immonde... Voici comment la main d'un frère me ravit, pendant mon sommeil, ma vie, ma couronne et ma reine ; sapé en pleine floraison de péché, sans sacrement ni confession, désappointé, sans m'être mis en règle, il m'a jeté devant mon Juge avec le faix[1] de mes imperfections.

HAMLET. Horrible ! Horrible ! Oh ! Très horrible !

LE SPECTRE. Si tu n'es pas dénaturé, ne tolère pas cela. N'abandonne pas à la luxure et à l'inceste le lit royal de Danemark. Mais tout en poursuivant la vengeance garde ton esprit pur, et retiens ton âme de tramer rien contre ta mère. Laisse faire au Ciel, et à ces épines qu'elle loge en son sein, qui la griffent et la déchirent. Maintenant, adieu. Au pressentiment du matin, le ver luisant déjà pâlit sa lueur impuissante : adieu, adieu ! Hamlet, souviens-toi. *(Il sort.)*

William Shakespeare, *Hamlet,* extrait de la scène 4 de l'acte I, 1600-1601, traduction d'André Gidе, Gallimard, 1946.

1. **le faix** : la charge.

Texte B : Molière, *Dom Juan*

Scène 8

DON JUAN, LA STATUE DU COMMANDEUR, *qui vient se mettre à table*, SGANARELLE, SUITE

DON JUAN, *à ses gens*. – Une chaise et un couvert, vite donc. *(À Sganarelle.)* Allons, mets-toi à table.

SGANARELLE – Monsieur, je n'ai plus faim.

DON JUAN – Mets-toi là, te dis-je. À boire. À la santé du Commandeur : je te la porte, Sganarelle. Qu'on lui donne du vin.

SGANARELLE – Monsieur, je n'ai pas soif.

10 DON JUAN – Bois, et chante ta chanson, pour régaler le Commandeur.

SGANARELLE – Je suis enrhumé, Monsieur.

DON JUAN – Il n'importe. Allons. Vous autres, venez, accompagnez sa voix.

15 LA STATUE – Don Juan, c'est assez. Je vous invite à venir demain souper avec moi. En aurez-vous le courage ?

DON JUAN – Oui, j'irai, accompagné du seul Sganarelle.

SGANARELLE – Je vous rends grâce, il est demain jeûne pour moi.

DON JUAN, *à Sganarelle.* – Prends ce flambeau.

20 LA STATUE – On n'a pas besoin de lumière, quand on est conduit par le Ciel.

Molière, *Dom Juan*, scène 8 de l'acte IV, 1665.

Texte C : Jean Cocteau, *La Machine infernale*

1 LE SPHINX. J'étais le Sphinx ! Non, Œdipe… Vous ramènerez ma dépouille à Thèbes et l'avenir vous récompensera… selon vos mérites. Non… je vous demande simplement de me laisser disparaître derrière ce mur afin d'ôter ce corps dans lequel je me trouve, l'avouerais-je, depuis quelques minutes… un peu à l'étroit.
5

ŒDIPE. Soit ! Mais dépêchez-vous. La dernière fanfare… *(On entend les trompettes.)* Tenez, j'en parle, elle sonne. Il ne faudrait pas que je tarde.

LE SPHINX, *caché.* Thèbes ne laissera pas à la porte un héros.

10 LA VOIX D'ANUBIS, *derrière les ruines.* Hâtez-vous. Hâtez-vous… Madame. On dirait que vous inventez des prétextes et que vous traînez exprès.

LE SPHINX, *caché.* Suis-je la première, dieu des Morts, que tu doives tirer par sa robe ?

15 ŒDIPE. Vous gagnez du temps, Sphinx.

LE SPHINX, *caché*. N'en accusez que votre chance, Œdipe. Ma hâte vous eût joué un mauvais tour. Car une grave difficulté se présente. Si vous rapportez à Thèbes le cadavre d'une jeune fille, en place du monstre auquel les hommes s'attendent, la foule vous lapidera.

20 ŒDIPE. C'est juste ! Les femmes sont étonnantes ; elles pensent à tout.

LE SPHINX, *caché*. Ils m'appellent : la vierge à griffes... La chienne qui chante... Ils veulent reconnaître mes crocs. Ne vous inquiétez pas. Anubis ! Mon chien fidèle ! Écoute, puisque nos figures ne sont que des ombres, il me faut ta tête de chacal.

25 ŒDIPE. Excellent !

ANUBIS, *caché*. Faites ce qu'il vous plaira pourvu que cette honteuse comédie finisse, et que vous puissiez revenir à vous.

LE SPHINX, *caché*. Je ne serai pas longue.

ŒDIPE. Je compte jusqu'à cinquante comme tout à l'heure. C'est ma
30 revanche.

ANUBIS, *caché*. Madame, Madame, qu'attendez-vous encore ?

LE SPHINX. Me voilà laide, Anubis. Je suis un monstre !... Pauvre gamin... si je l'effraye...

ANUBIS. Il ne vous verra même pas, soyez tranquille.

35 LE SPHINX. Est-il donc aveugle ?

ANUBIS. Beaucoup d'hommes naissent aveugles et ils ne s'en aperçoivent que le jour où une bonne vérité leur crève les yeux.

ŒDIPE. Cinquante !

ANUBIS, *caché*. Allez... Allez ...

40 LE SPHINX, *caché*. Adieu, Sphinx !

(On voit sortir de derrière le mur, en chancelant, la jeune fille à tête de chacal. Elle bat l'air de ses bras et tombe.)

Jean Cocteau, *La Machine infernale*,
extrait de la scène 8 de l'acte II, Grasset, 1934.

Sujets du bac

➠ Question

Les personnages surnaturels présents dans les textes du corpus remplissent-ils tous la même fonction ? Vous justifierez votre réponse par des références précises aux textes.

➠ Commentaire

Vous commenterez la tirade du Spectre dans *Hamlet* de Shakespeare (texte A).

➠ Dissertation

Doit-on considérer le recours au surnaturel au théâtre comme la simple recherche d'un effet spectaculaire ? Pour répondre à cette question, vous vous appuierez sur le corpus ainsi que sur les pièces de théâtre que vous avez vues ou lues.

➠ Sujet d'invention

Imaginez le récit que Sganarelle fait aux autres domestiques à la suite de la visite du Commandeur chez Don Juan.

SUJET 1

TEXTE : Scène 2 de l'acte I (l. 131 à 174, pp. 22-23)

1 SGANARELLE – De quoi est-il question ?

DON JUAN – Il est question de te dire qu'une beauté me tient au cœur, et qu'entraîné par ses appas, je l'ai suivie jusques en cette ville.

SGANARELLE – Et n'y craignez-vous rien, monsieur, de la mort de ce
5 Commandeur que vous tuâtes il y a six mois ?

DON JUAN – Et pourquoi craindre ? Ne l'ai-je pas bien tué ?

SGANARELLE – Fort bien, le mieux du monde et il aurait tort de se plaindre.

DON JUAN – J'ai eu ma grâce de cette affaire.

10 SGANARELLE – Oui, mais cette grâce n'éteint pas peut-être le ressentiment des parents et des amis, et…

DON JUAN – Ah! n'allons point songer au mal qui nous peut arriver, et songeons seulement à ce qui nous peut donner du plaisir. La personne dont je te parle est une jeune fiancée, la plus agréable du
15 monde, qui a été conduite ici par celui même qu'elle y vient épouser ; et le hasard me fit voir ce couple d'amants trois ou quatre jours avant leur voyage. Jamais je n'ai vu deux personnes être si contents l'un de l'autre et faire éclater plus d'amour. La tendresse visible de leurs mutuelles ardeurs me donna de l'émotion ; j'en fus frappé au cœur, et
20 mon amour commença par la jalousie. Oui, je ne pus souffrir d'abord de les voir si bien ensemble ; le dépit alarma mes désirs, et je me figurai un plaisir extrême à pouvoir troubler leur intelligence, et rompre cet attachement, dont la délicatesse de mon cœur se tenait offensée ; mais jusques ici tous mes efforts ont été inutiles, et j'ai recours au dernier
25 remède. Cet époux prétendu doit aujourd'hui régaler sa maîtresse d'une promenade sur mer. Sans t'en avoir rien dit, toutes choses sont préparées pour satisfaire mon amour, et j'ai une petite barque et des gens avec quoi fort facilement je prétends enlever la belle.

SGANARELLE – Ha ! Monsieur…

30 DON JUAN – Hen?

SGANARELLE – C'est fort bien fait à vous, et vous le prenez comme il faut. Il n'est rien tel en ce monde que de se contenter.

DON JUAN – Prépare-toi donc à venir avec moi, et prends soin toi-même d'apporter toutes mes armes, afin que… *(Il aperçoit Done El-*
35 *vire.)* Ah! rencontre fâcheuse! Traître, tu ne m'avais pas dit qu'elle était ici elle-même.

SGANARELLE – Monsieur, vous ne me l'avez pas demandé.

DON JUAN – Est-elle folle, de n'avoir pas changé d'habits, et de venir en ce lieu-ci avec son équipage de campagne?

I – Première partie de l'épreuve

➥ Lecture à voix haute

▸ Il est possible de ne pas indiquer les noms des personnages avant les éléments du dialogue à condition de différencier les voix et les tons suffisamment nettement. Pensez à vous remettre, entre chaque réplique, dans la peau du nouvel interlocuteur.
▸ Faites comprendre, dès la lecture, les caractéristiques psychologiques et relationnelles des personnages que vous allez mettre en évidence dans votre analyse.

➥ Exposé

Quel type de rapport entre le maître et le valet ce passage révèle-t-il?

Autres questions possibles sur ce passage

– Dans quelle(s) mesure(s) ce passage annonce-t-il les thèmes essentiels de la pièce?

– Que nous apprend ce passage sur Don Juan?

– Que nous apprend ce passage sur Sganarelle?

BIEN PRÉPARER SON EXPOSÉ

- Gérez bien votre temps de préparation. La durée est insuffisante pour rédiger complètement un brouillon. Consacrez ces précieuses minutes à rassembler les analyses faites en cours qui vous semblent utiles pour cet exposé et contentez-vous de noter une liste des points à aborder pendant l'exercice.
- La conclusion ne repasse pas en revue tous les points abordés au cours de l'exposé mais formule ce qui en découle et permet de répondre précisément à la question posée.

Introduction

- Situer rapidement l'auteur et l'œuvre sans perdre de vue que le texte est une illustration spécifique du sujet choisi par l'enseignant pour illustrer un des objets d'étude.
- Rappeler la question à traiter posée par l'examinateur.
- Annoncer l'axe de lecture choisi pour répondre à la question : au cours d'une scène d'exposition, qu'introduit le dialogue entre le héros et son maître ?

1. Rappel de la fonction classique du valet au théâtre

A. Quels éléments de l'action dramatique lui reviennent ?

B. Quel est son rôle dans la double énonciation propre au théâtre ?

2. Portrait et autoportrait des deux personnages

A. Don Juan est décrit par Sganarelle mais se révèle aussi directement par la nature de ses propos.

B. De même pour Sganarelle.

3. Nature de la relation du maître et du valet

A. S'agit-il d'une relation conventionnelle ?

B. En quoi cette relation est-elle originale ?

Conclusion

- Reprise de la question posée par l'examinateur et réponse synthétique et précise : ce passage révèle l'originalité des deux personnages et de leurs relations qui a rendu ce couple théâtral célèbre.
- Éventuellement, mise en relation avec d'autres textes.

II – Seconde partie de l'épreuve

CONSEILS POUR LA PRÉPARATION DE L'ENTRETIEN

- L'entretien doit être préparé au cours des révisions pour pouvoir mobiliser rapidement les connaissances utiles. Il faut avoir, pour cela, à l'esprit les axes possibles de l'élargissement de l'exposé.

Les sujets d'entretien dépendent du travail fait dans l'année sur ce thème et qui sera précisé dans la liste que vous aurez présentée à l'examinateur.

➠ L'examinateur peut vous demander d'élargir l'analyse

- À la scène entière : particulièrement, ici, à la tirade moralisatrice de Sganarelle ou aux problèmes d'une scène d'exposition.

- À l'ensemble de la pièce si elle a été étudiée intégralement : par exemple, en vous demandant comment se réalise, au cours de l'action, ce qui est amorcé ici ou pourquoi la dernière réplique de la pièce a été censurée.

➡ **L'examinateur peut vous amener à confronter ce passage avec les autres extraits illustrant la problématique choisie pour l'étude du thème « Théâtre »**

- Les questions peuvent porter sur le sujet traité.
- Les questions peuvent porter sur la façon de le traiter.

➡ **L'examinateur peut enfin vous amener à faire un élargissement à l'étude du genre littéraire concerné**

- Ici, les caractéristiques de la comédie classique.
- Les problèmes du genre théâtral : particularités de ce mode de récit.
- La question de la représentation par le biais d'une mise en scène particulière qui aurait été vue ou étudiée en classe : choix d'interprétations, de décors…

SUJET 2

TEXTE : Scène 2 de l'acte II (l. 85 à 134, pp. 40 à 42)

1 CHARLOTTE – Voyez-vous, Monsieur, il n'y a pas plaisir à se laisser abuser. Je suis une pauvre paysanne ; mais j'ai l'honneur en recommandation, et j'aimerais mieux me voir morte, que de me voir déshonorée.

DON JUAN – Moi, j'aurais l'âme assez méchante pour abuser une per-
5 sonne comme vous ? Je serais assez lâche pour vous déshonorer ? Non, non, j'ai trop de conscience pour cela. Je vous aime, Charlotte, en tout bien et en tout honneur ; et pour vous montrer que je vous dis vrai, sachez que je n'ai point d'autre dessein que de vous épouser : en voulez-vous un plus grand témoignage ? M'y voilà prêt
10 quand vous voudrez ; et je prends à témoin l'homme que voilà de la parole que je vous donne.

SGANARELLE – Non, non, ne craignez point : il se mariera avec vous tant que vous voudrez.

DON JUAN – Ah ! Charlotte, je vois bien que vous ne me connaissez
15 pas encore. Vous me faites grand tort de juger de moi par les autres ; et s'il y a des fourbes dans le monde, des gens qui ne cherchent qu'à abuser des filles, vous devez me tirer du nombre, et ne pas mettre en

doute la sincérité de ma foi. Et puis votre beauté vous assure de tout. Quand on est faite comme vous, on doit être à couvert de toutes ces
20 sortes de craintes; vous n'avez point l'air, croyez-moi, d'une personne qu'on abuse; et pour moi, je l'avoue, je me percerais le cœur de mille coups, si j'avais eu la moindre pensée de vous trahir.

CHARLOTTE – Mon Dieu! je ne sais si vous dites vrai, ou non; mais vous faites que l'on vous croit.

25 DON JUAN – Lorsque vous me croirez, vous me rendrez justice assurément, et je vous réitère encore la promesse que je vous ai faite. Ne l'acceptez-vous pas, et ne voulez-vous pas consentir à être ma femme?

CHARLOTTE – Oui, pourvu que ma tante le veuille.

DON JUAN – Touchez donc là, Charlotte, puisque vous le voulez bien
30 de votre part.

CHARLOTTE – Mais au moins, Monsieur, ne m'allez pas tromper, je vous prie : il y aurait de la conscience à vous, et vous voyez comme j'y vais à la bonne foi.

DON JUAN – Comment? Il semble que vous doutiez encore de ma
35 sincérité! Voulez-vous que je fasse des serments épouvantables? Que le Ciel…

CHARLOTTE – Mon Dieu, ne jurez point, je vous crois.

DON JUAN – Donnez-moi donc un petit baiser pour gage de votre parole.

40 CHARLOTTE – Oh! Monsieur, attendez que je soyons mariés, je vous prie; après ça, je vous baiserai tant que vous voudrez.

DON JUAN – Eh bien! belle Charlotte, je veux tout ce que vous voulez; abandonnez-moi seulement votre main, et souffrez que, par mille baisers, je lui exprime le ravissement où je suis…

I – Première partie de l'épreuve

Lecture à voix haute

- Il ne faut pas hésiter à changer de timbre pour différencier la voix masculine et la voix féminine.
- La réplique de Sganarelle peut être traitée comme un aparté ou s'adresser directement à Charlotte. Le ton changera selon le choix fait.

▸ Faites comprendre, dès la lecture, les caractéristiques psychologiques et relationnelles que vous allez mettre en évidence dans votre analyse.

➠ **Exposé**

Étudiez la stratégie mise en œuvre par Don Juan pour séduire Charlotte

Autres questions possibles sur ce passage

– Quels traits du caractère de la jeune fille cet échange met-il en évidence?

– Quels traits du caractère de Don Juan cet échange met-il en évidence?

ÉTUDIER UNE STRATÉGIE

• Ne vous contentez pas de reprendre les propos du séducteur, mais mettez en lumière ce qu'il fait en les proférant (flatter, corrompre...).

Introduction

▸ Annoncer l'axe de lecture choisi pour répondre à la question.
▸ Situer rapidement l'auteur et l'œuvre sans perdre de vue que le texte est une illustration spécifique du sujet choisi par l'enseignant pour illustrer un des objets d'étude.
▸ Rappeler la question à traiter posée par l'examinateur.
▸ Annoncer l'axe de lecture choisi pour répondre à la question : cette scène montre le séducteur à l'œuvre – ce que le spectateur attend depuis la scène d'exposition. Que va mettre en évidence le fait que la jeune fille soit une jeune paysanne?

1. Charlotte : une proie facile

A. Ses faiblesses : son caractère et son inexpérience.
B. Ses armes : morales et sociales.

2. Don Juan : un manipulateur expérimenté

A. Beau parleur et flatteur.
B. Immoral et irréligieux.

Conclusion

▸ Reprise de la question posée par l'examinateur et réponse synthétique et précise : le déséquilibre entre les armes des deux personnages rend la manipulation de Don Juan choquante, mais la jeune paysanne n'est pas une victime innocente. Elle adopte une posture vertueuse qu'elle croit propre à se faire épouser par un seigneur. Sa duplicité naïve maintient la tonalité comique de la scène.
▸ Éventuellement, mise en relation avec d'autres textes.

II – Seconde partie de l'épreuve

CONSEILS POUR L'ENTRETIEN

- Si l'examinateur vous interroge sur votre conclusion, ne la répétez pas mécaniquement. Demandez-vous quelle est son intention : vous faire préciser vos arguments ? rectifier une formulation ? vous donner l'occasion de corriger une erreur ?
- Pour préparer l'entretien, imaginez une question possible par type d'élargissement de la question traitée en exposé et la réponse à cette question.

➥ Question possible sur la scène entière

- Quelle est, selon vous, la fonction des interventions de Sganarelle dans cette scène ?

➥ Questions possibles sur la pièce, si elle a été étudiée intégralement

- Comparez l'attitude de Don Juan avec Charlotte et celle qu'il adopte face à Elvire à l'acte IV.
- Quels changements de situation interviennent dans les deux scènes suivantes ?

➥ Questions confrontant l'extrait avec ceux illustrant la problématique choisie pour l'étude du thème « Théâtre », identiques à celles envisagées pour le sujet 1

➥ Questions sur le genre littéraire étudié, identiques à celles envisagées pour le sujet 1

Crédits photographiques

pp. 4, 6, 8, 9, 11, 30, 31 : photos Photothèque Hachette. **p. 44** : *(haut)* photo Pascal Victor/ArtComArt, *(bas gauche)* photo Tomasz Boguslawski *(bas droit)* photo Collection CHRISTOPHEL, Blue Dahlia Productions/France 3 Cinéma/Mate Producciones S.A./Road Movies Filmproduktion/Tornasol Films/DR. **pp. 49, 55, 63, 75** : photos Photothèque Hachette. **p. 91** : photo Pascal Victor/ArtComArt. **pp. 93, 103** : photo Photothèque Hachette. **p. 106** : *(haut)* photo Pascal Victor/ArtComArt, *(bas)* photo Philippe Coqueux. **pp. 110, 135** : photos Photothèque Hachette. **p. 136** : photo Collection CHRISTOPHEL, Blue Dahlia Productions/France 3 Cinéma/ Mate Producciones S.A./Road Movies Filmproduktion/Tornasol Films/DR. **p. 138** : photo Tomasz Boguslawski. **p. 140** : photo Pascal Victor/ArtComArt. **p. 142** : photo Philippe Coqueux. **p. 144** : photo Photothèque Hachette.

Conception graphique
Couverture : Mélissa Chalot
Intérieur : GRAPH'in-folio

Édition
Fabrice Pinel

Mise en pages
APS

Achevé d'imprimer en Février 2020 en Espagne par Black Print
Dépôt légal : Mai 2016 – Édition : 06
25/0456/9

Dans la même collection :

Collectif
Nouvelles naturalistes des *Soirées de Médan* [Zola, Maupassant, Huysmans] (40)

APOLLINAIRE
Alcools (60)

BALZAC
Le Colonel Chabert (78)
La Peau de chagrin (26)
Le Père Goriot (56)

BARBUSSE
Le Feu – Bac pro (66)

BAUDELAIRE
Les Fleurs du Mal (10)

BEAUMARCHAIS
Le Barbier de Séville (17)
Le Mariage de Figaro (5)

CHATEAUBRIAND
Atala – René (42)

CORNEILLE
Le Cid (36)
L'Illusion comique (19)

ECHENOZ
14 – Bac pro (67)
14 (69)

FLAUBERT
Madame Bovary (52)
Trois Contes (20)

GAUTIER
Contes et Récit fantastiques (43)

HUGO
Claude Gueux (38)
Pauca meæ (Livre IV des *Contemplations*) (73)
Le Dernier Jour d'un condamné (31)
Le Dernier Jour d'un condamné – Bac pro (62)
Hernani (44)
Les Misérables (28)
Ruy Blas (6)

JARRY
Ubu Roi (45)

LA BRUYÈRE
Les Caractères (29)

LACLOS
Les Liaisons dangereuses (51)

LAFAYETTE (MME DE)
La Princesse de Clèves (49)
La Princesse de Montpensier (74)

LA FONTAINE
Fables (livres VII à IX) – Séries technologiques (76)
Fables (livres VII à XI) – Séries générales (77)

MARIVAUX
La Colonie – Bac pro (68)
La Double Inconstance (46)
L'Île des esclaves (13)
Le Jeu de l'amour et du hasard (16)

MAUPASSANT
- Bel-Ami (47)
- Boule de suif – Mademoiselle Fifi – Bac pro (72)
- Contes parisiens, normands et fantastiques (34)
- Pierre et Jean (11)
- Une vie (53)

MOLIÈRE
- Dom Juan (2)
- L'École des femmes (64)
- Les Femmes savantes (33)
- Le Misanthrope (27)
- Les Précieuses ridicules (30)
- Le Tartuffe (4)

MONTAIGNE
- Essais (22)

MONTESQUIEU
- Lettres persanes (61)

MUSSET
- Les Caprices de Marianne (41)
- Lorenzaccio (23)
- On ne badine pas avec l'amour (14)

OLMI
- Numéro Six – Bac pro (70)

Abbé PRÉVOST
- Manon Lescaut (58)

RABELAIS
- Pantagruel – Gargantua (7)

RACINE
- Andromaque (35)
- Bérénice (15)
- Britannicus (18)
- Phèdre (8)

RADIGUET
- Le Diable au corps (21)

RIMBAUD
- *Une saison en enfer* et autres poèmes (37)
- Poésies (75)

ROSTAND
- Cyrano de Bergerac (50)

ROUSSEAU
- Les Confessions, livres I à IV (3)

SAGAN
- Bonjour tristesse – Bac pro (71)

SHAKESPEARE
- Hamlet (9)

STENDHAL
- Le Rouge et le Noir (54)

VOLTAIRE
- Candide ou l'Optimisme (1)
- Candide ou l'Optimisme – Bac pro (59)
- L'Ingénu (39)
- La Princesse de Babylone – Micromégas (48)
- Zadig ou la Destinée (25)

ZOLA
- *Celle qui m'aime* et autres nouvelles (57)
- L'Assommoir (55)
- Thérèse Raquin (63)